D0267066

VOLEURS DE SUCRE

Du même auteur chez le même éditeur

Voleurs de sucre (2004 ; réédition 2013)

La logeuse (2006 ; réédition 2013)

Bestiaire (2008 ; réédition 2013)

La fiancée américaine (2012)

ERIC DUPONT

VOLEURS DE SUCRE

ROMAN

Marchand de feuilles
C.P. 4, Succursale Place d'Armes
Montréal (Québec)
H2Y 3E9
Canada
www.marchanddefeuilles.com

Mise en pages : Roger Des Roches
Révision : Annie Pronovost
Graphisme : Sarah Scott
Illustration de la couverture : Martha Rich

Diffusion : Hachette Canada
Distribution : Socadis

Les Éditions Marchand de feuilles remercient le Conseil des Arts du Canada ainsi que la Sodec pour leur soutien financier.

Catalogage avant publication de Bibliothèque et Archives Canada

Dupont, Éric, 1970-

Voleurs de sucre

Édition originale : 2004.

ISBN 978-2-923896-32-8

I. Titre.

PS8607.U66V64 2013 C843'.6 C2013-941882-2
PS9607.U66V64 2013

Dépôt légal : 2013
Bibliothèque et Archives nationales du Québec
Bibliothèque et Archives Canada

Préface

J'ai écrit cette histoire à la faveur d'une canicule torontoise particulièrement éprouvante. Durant ces semaines pénibles, je ne m'aventurais dehors, c'est-à-dire en zone non climatisée, que par nécessité, histoire de m'éviter d'inutiles souffrances. Autrement, je restais enfermé au sixième étage de mon édifice, dans la fraîcheur de ces appartements modernes refroidis artificiellement, qui tiennent plus du clapier que de l'habitat humain, mais qui offrent à leurs habitants la possibilité de survivre aux étés trop chauds. Il m'arrivait alors de fermer les yeux et de m'imaginer les vents frais caressant les collines enneigées de ma Gaspésie natale.

J'avais, pendant ces années torontoises, un ami, Pépé, qui n'avait plus grand plaisir que de m'écouter raconter mes souvenirs d'enfance à Amqui, la perle de la vallée de la Matapédia. C'est à lui que ce livre est dédié, et non à quelque grand-père disparu.

Pépé savait que je voulais écrire. J'avais d'ailleurs déjà produit, avant *Voleurs de sucre*, un roman étrange mettant en vedette une technicienne d'un laboratoire de développement de photographie qui réinventait la mémoire de ses clients en leur rendant, en échange des pellicules qu'ils déposaient à sa boutique, non pas les clichés qu'ils avaient faits, mais des images qu'ils auraient aimé avoir faites. À l'instar de certaines drogues dures comme la cocaïne, ces images venaient, l'espace d'un instant, combler le gouffre qui existe entre l'image que les gens ont d'eux-mêmes et celle qu'ils croient devoir présenter. Cet effet ne dure malheureusement qu'un instant. Il faut bientôt d'autres images, d'autres drogues et surtout, d'autres histoires, qui vous laissent toujours fatigué et exsangue. À l'âge de la photographie numérique, cette histoire de développement de photographie n'aurait plus aucune résonance auprès de lecteurs habitués à modifier eux-mêmes leurs images. Le progrès technologique aura réussi, en plus d'annuler toute perspective d'avenir pour mon premier roman, à faire en sorte que l'humain n'ait plus besoin de personne pour modifier son passé. Il faudra trouver aux historiens de nouvelles vocations.

Ce premier roman sur la photographie n'avait pas convaincu Pépé ni aucun éditeur d'ailleurs. L'un d'entre eux avait même pris la peine de me dire, dans sa lettre de refus, que mon récit présentait une « onomastique bruyante ». J'avais ce jour-là, appris un nouveau mot. *Onomastique : branche de la linguistique qui étudie les noms propres.* Ce jugement un peu dur tenait peut-être au fait que j'avais mis en scène, outre la technicienne, trois personnages aux noms bâtards qui étaient censés représenter Marguerite Duras, Margaret Thatcher et Margarethe Zidler, dont l'insigne honneur a été de mettre au monde Martin Luther, le réformateur allemand. Même sous la torture, je peinerais aujourd'hui à expliquer le lien qui unit ces trois Marguerite. De toute évidence, je n'avais pas réussi à le rendre clair, étant donné que le livre n'a jamais été publié. Il me fallait, je crois que c'est ce qu'on avait voulu me dire, donner des noms moins improbables à mes personnages. Dans *Voleurs de sucre,* le chat s'appellerait donc « Minou », et le petit chien, « Moussette » ; les Beatles remplaceraient Margaret Thatcher, et madame Laberge, Marguerite Duras. C'était déjà un grand pas vers la cohérence.

C'est aussi à cette époque que j'enseignais dans une école secondaire à des jeunes qui, comme Pépé, trouvaient mes souvenirs d'enfance plus amusants que mon plan de cours. « Pourquoi tu n'écris pas ces histoires ? » avait fini par me demander Pépé au seuil de cet été caniculaire. Longtemps, j'ai mis sur le compte de l'exotisme l'intérêt des Torontois accablés de chaleur pour mes histoires gaspésiennes porteuses de vents glacés et de sucreries à l'érable. Mais ce que ces souvenirs portaient, en plus du lien identitaire qui m'unit à Amqui, je crois le comprendre aujourd'hui, c'est une manière machiavélique d'envisager les autres que l'on perd à l'âge adulte. Ce qu'ils proposent, c'est un monde simplifié et rassurant où les vérités de l'enfance sont rappelées à la mémoire, par exemple que les oignons, pendant la cuisson, se transforment en vers translucides, que les voisines servent à vous donner des sucreries et qu'en 1973, une bouteille vide de Coca-Cola s'échangeait contre trois réglisses et un caramel mou. Qu'obtient-on aujourd'hui pour la même bouteille ? Je vous le demande.

J'ai mis toutes mes semaines de vacances d'enseignant à écrire mon livre qui a plu beaucoup à son commissionnaire. De leur côté, les éditeurs se sont montrés plus encourageants. Dix ans plus tard, je me rends compte que les lecteurs qui avaient aimé *Voleurs de sucre* sont souvent des lectrices mères d'un petit garçon trop gâté. Elles retrouvent probablement, dans ce livre, la violence fulgurante de la petite enfance et le brouillard de leurs propres souvenirs. Peut-être participent-elles, dans leur rôle de mère, à cette résistance à l'aseptisation de notre monde en refusant de se soumettre aux recommandations des guides de la saine alimentation. Que Dieu les protège.

Je suis retourné à Amqui après la parution de *Voleurs de sucre*. Les lieux de notre enfance ont tendance à rétrécir. De la rue Saint-Benoît, qui me paraissait si large à l'époque, ne subsiste qu'une toute petite rue. *Boubou Pizza* n'existe plus, la roulotte-aux-bonbons non plus. Il n'y a même plus de motards qui sortent par le pied les enfants tombés dans une poubelle à la recherche de bouteilles vides à échanger contre des sucreries. L'hôpital y est toujours. Il y a moins d'enfants et moins de policiers. La vérité se terre toujours dans les profondeurs de la rivière Matapédia, protégeant sa peau bleutée, trop sensible aux regards des adultes. Qu'elle y reste. Elle ne serait nulle part ailleurs plus en sécurité. À Amqui, comme partout ailleurs, il est devenu de mauvais goût de donner trop de sucre aux enfants. Il convient de leur offrir, à la place, des morceaux de fromage et des bâtons de céleri cru. On s'étonnera après qu'ils ne respectent plus rien et qu'ils organisent des manifestations dans les rues de nos villes. Cette génération révoltée porte en elle une carence affective que la mienne n'a pas connue. Je suis d'un monde libre, de ces derniers enfants nés avant le règne tyrannique des nutritionnistes. Mais nous vaincrons, c'est clair.

Écrire me fatigue. Je le dis tout le temps. Écrire me vide de ce qui me rend intéressant aux yeux des autres. Effectivement, après avoir envoyé

Voleurs de sucre aux éditeurs, j'ai arrêté net de parler d'Amqui, comme si, une fois imprimés, ces souvenirs étaient devenus dénués d'actualité et indignes de mon répertoire quotidien d'histoires. Comme les photographies de ma technicienne, comme certaines drogues dures, *Voleurs de sucre* a réussi à me faire oublier, l'espace d'un été, le gouffre qui existe entre celui que je crois être et celui que je crois devoir être. Tel un grand iceberg blanc s'avançant sur les eaux tièdes du lac Ontario, le paquebot *Amqui* quittait le centre de mes préoccupations narratives pour voguer vers d'autres eaux. Entre moi resté sur le quai à Harbour Front et le pont de ce navire où s'alignent, en rang ma mère, un jeune policier, ma grande sœur, un gros chat blanc et un chien de race incertaine, se creuse un gouffre que l'oubli finira bien un jour par remplir.

L'oubli ou une autre drogue.

pour Pépé

Prologue

La guerre que Nixon a déclarée à la drogue dans les années 1970 fut perdue, lit-on. On aurait bien pu négliger l'annonce de la fin du conflit. C'est au vu et au su de leurs parents que les jeunes roulent aujourd'hui leurs illicites herbes. Sous le regard impuissant de leurs profs dépassés, les écoliers de plus en plus jeunes planent, les yeux rougis, vers leurs salles de classe. Or, jamais il n'arrive à ces hordes de zombis drogués de s'interroger sur le déroulement des batailles qui ont mené à cette permissivité sans bornes. Ironiquement et contre toute attente, jamais on ne rend hommage à ceux qui ont gagné la guerre. On se concentre sur les gagnants d'autres conflits, à première vue plus pertinents pour la race humaine, comme la Deuxième Guerre mondiale ou la guerre de Corée. Les journaux félicitent les efforts vains des vaincus : gouvernements, associations de parents et corps policiers. Mais jamais on ne rend à César ce qui lui appartient. Pour cause, la guerre contre la drogue fut gagnée par moi, et le centre stratégique des combats ne fut ni Miami, ni Washington, ni Bogota, mais Amqui, dans l'est du Canada.

À l'âge de quatre ans, je fis partie du groupuscule qui fut la genèse de la défaite du sombre président Nixon. Du fond de ma Gaspésie natale, je devins le héros d'un combat aujourd'hui oublié, mais aussi important dans l'histoire moderne que le jour J ou la bataille de la Somme.

•

Certaines factions nient cependant encore et toujours la nécessité de se rendre à l'évidence.

•

J'ai quatre ans, je viens de mettre en déroute mon plus grand ennemi dans la guerre pour le contrôle du sirop d'érable, je suis un monstre pour la voisine et son potager, je suis membre en règle d'une bande de motards, j'ai décimé les tribus opposées au dieu chocolat et j'ai la mainmise sur le marché du sucre dans tout le royaume d'Amqui. De consommateur, je suis en passe de devenir le plus important fournisseur de la ville.

C'est l'âge d'or.

1

Je n'ai aucun souvenir d'être arrivé à Amqui. Cet oubli est réciproque. La ville ne se souvient pas non plus de ma naissance. Tel l'antéchrist de Nostradamus, je naquis en orient. J'entends par là l'orient du Canada. Les exégètes du visionnaire mystique ont toujours situé en Asie la naissance du seigneur des ténèbres, négligeant de considérer, dans leurs eurocentriques traductions des inquiétants versets, que l'on est toujours à l'est de quelqu'un. En ce qui me concerne, ce levant se nomme Amqui : bourgade minuscule de 5 000 âmes, sertie comme un bijou dans la vallée de la rivière Matapédia. Comme je n'ai aucune souvenance d'être arrivé ici et que je suis trop petit pour monter à bicyclette, Amqui est pour moi une mégapole sans limites. Ni Paris, ni Londres, ni Mexico, ni même Montréal ne sont encore des concepts, mais des endroits mythiques inventés de toutes pièces par mon père dans le simple et unique but de se rendre intéressant. Il y réussit assez bien d'ailleurs.

•

Mon père est policier parce qu'il porte un uniforme et parce que son métier consiste à faire la chasse aux voleurs et à les attraper. Amqui est infestée de voleurs, et il ne suffit pas à la tâche, même en y consacrant le plus clair de son temps. À l'entendre parler, il doit y en avoir un nid quelque part. J'ai neuf mois déjà. Trônant sur ma chaise haute en tétant mon lait, je l'écoute relater ses exploits. Au début, je ne comprends pas pourquoi il a choisi une ville si dangereuse pour élever sa jeune famille. S'il faut en croire ses aventures, les rues sont peu sûres, et ses supérieurs lui demandent constamment de faire quelques heures supplémentaires, probablement dans le but d'attraper un autre voleur en liberté. Je me dis que ses supérieurs sont bien avisés de faire travailler mon père. À vingt-deux ans, il peut encore courir assez vite pour attraper les voleurs les plus jeunes. Mais de l'avis de ma sœur et du mien, il sera sénile dans quelques mois. Peu importe, bientôt, m'a-t-on promis, on m'enseignera à *marcher* et je pourrai prendre la relève. D'ailleurs, ses absences prolongées de la maison me permettront de devenir le roi du foyer et de prendre le contrôle du chat Minou, du chien Moussette, de ma mère et de ma grande sœur, Marie-Josée, qui, tout aînée marcheuse qu'elle soit, ne pourra survivre seule dans ces dangereuses contrées. J'ai neuf mois et je n'espère qu'une chose : que les voleurs continuent de régner sur Amqui pour tenir mon père occupé et me laisser devenir le roi du sucre.

•

J'aurai beau me râper les méninges sur les écrits d'Hélène Cixous, m'endormir à poings fermés sur *Le troisième sexe*, me taper des conférences interminables sur les trois vagues de féminisme (ou est-ce quatre ?), je n'apprendrai rien de plus sur les femmes que ce qui m'est révélé assis sur ma chaise haute en observant mon père, ma mère et ma sœur en cet an de grâce, 1971.

L'un de leurs rôles les moins reconnus est d'engraisser des petits garçons qui grandiront pour écrire un jour à leur sujet des histoires à dormir debout dénuées de toute vraisemblance. Il n'y a pas d'exception à cette règle. Aussi sont-elles les meilleures fournisseuses de sucre qui soient au monde. Même ma mère ne fait pas exception. Mais dans son cas, elle a eu l'intelligence politique de produire ses enfants avant d'avoir vingt ans. Les femmes de demain investiront beaucoup trop tard dans leur progéniture, en enfantant dans la trentaine. À vingt ans, il reste encore à ma mère quelques traces de crédibilité. Les autres mères d'Amqui, pleines d'envie déguisée en sollicitude et qui défilent dans notre appartement, sont anciennes. Mme Roberge, la voisine d'en face, mère de deux autres marmots qui deviendront de braves petits soldats dans mon armée, ploie déjà sous le poids des années. Quel âge peut-elle avoir, cette brave personne ? Quarante ? Quarante-cinq ans ? Elle a dû fonder Amqui. Ma mère est encore jeune et a la force d'être celle qui assurera la supériorité du sucre dans le monde entier.

Ce jour du printemps de 1971, mon père ne fait qu'une brève incursion dans l'appartement. Il repart aussi vite qu'il est arrivé. Les voleurs n'attendent pas. Une minute d'inattention et la paix dans la ville est compromise. Il abandonne donc son rôle de fou du roi pour aller courir dehors après quelque malfaiteur. La table n'est pas desservie et je finis ma bouteille de lait tiédi. En tant que prince d'Amqui, j'ai droit dès mon plus jeune âge à certains égards. Ainsi, quand plus tard je croiserai un uniforme, qu'il s'agisse d'un facteur, d'un douanier ou d'un flic, je me sentirai complètement chez moi. Mon père, par la nature de sa profession, gâchera très tôt la possibilité que l'uniforme ne devienne un fétiche. Je devrai un jour me rabattre sur d'autres accessoires pour titiller ma veine perverse. L'uniforme, pour moi, recouvrira toujours un bienveillant père.

2

Je trône donc sur cette chaise haute, d'où je peux admirer une petite partie d'Amqui. Nous occupons la partie basse d'une maison qui, si j'ai bien compris, ne nous appartient pas. Le fait que mon père ait à courir jour après jour après les voleurs a quelque chose à voir là-dedans. Plus tard, quand je daignerai me mettre à marcher, je découvrirai que cette maison est en fait un observatoire de choix. Elle est bâtie sur une pente, et l'accès à notre appartement se trouve à l'arrière. Celui-ci est flanqué d'un jardin très vert et séparé de la ville par une rangée de saules chétifs d'où l'on peut observer à sa guise et sans être vu la merveilleuse Amqui de haut. Les voisins d'en haut ont donc un accès direct sur la rue Saint-Louis, tandis que notre porte donne sur le jardin situé un peu plus bas que la rue. Le plateau où trône notre demeure supporte un lotissement de maisons. En bas s'étend la ville à perte de vue. Vers le haut, car notre porte ne donne pas sur la rue, mais sur la pente, le plateau se termine brusquement après quelques rues pour laisser passer la rivière Matapédia, qui dessine autour de mon plateau natal un arc de cercle irrégulier.

Il est clair que mes parents ont choisi cet endroit pour sa valeur stratégique. Du bas, rien ni personne ne peut venir par surprise, puisque l'un d'entre nous est toujours de garde. Derrière, un fossé profond de plusieurs mètres laisse couler la rivière protectrice d'où sortira un jour la Vérité toute ruisselante. Mais je n'en suis pas encore là dans mon récit.

Comparé au reste des citadins, nous sommes privilégiés de vivre dans un endroit si facile à garder. Ni la forteresse de Salzbourg ni la Ligne Maginot ne garantirent aux Européens meilleure protection contre l'envahisseur. Un hic, cependant : du cœur de la ville monte vers notre plateau une rue très large et selon moi très mal gardée. Pendant les trois années qui suivront, je devrai constamment garder l'œil sur cette béance que mes parents n'ont pas prévue. De la table de la cuisine, je guette dans la crainte qu'un voleur ayant échappé à la vigilance de mon père ne pousse l'audace jusqu'à monter sur notre plateau imprenable. Pour faciliter et agrémenter mon guet, ma mère me nourrit d'aliments divers. Ma sœur, elle, ayant déjà été forcée à s'élever sur ses deux pattes, assure la relève quand parfois je m'endors.

•

C'est cette journée-là, après le départ de mon père, que m'est révélée ma mission guerrière sur terre.

– Il pleure encore !

– C'est qu'il n'en a jamais assez ! Toi, tu en avais toujours assez d'une bouteille et tu t'endormais, répond ma mère, croyant que l'adorable prince que je suis peut se contenter d'une misérable portion de lait tiède.

– Il a déjà bu deux bouteilles !

– Qu'est-ce qu'on va faire de ton petit frère ? Les voisins d'en haut vont commencer à se plaindre.

•

Je suis encore à quelques mois de pouvoir parler, et cette agaçante aphasie commence vraiment à me tomber sur les nerfs. Ma mère et ma sœur, sans aucune considération pour mon handicap, ne se gênent pas pour débattre sur mon cas comme si j'étais sourd. Leur impertinence me fait redoubler de rage que j'exprime par des hurlements sauvages. Ma seule consolation reste cette tétine d'où sort le lait et encore, il faut en réclamer à grands cris une fois la bouteille vide. Que l'on se presse ! Comment ose-t-on laisser la sentinelle souffrir de malnutrition ? Une sentinelle mal nourrie risque de mal faire son travail, et les voleurs auront tôt fait de gravir le court escarpement qui nous sépare de la ville pour nous ravir Minou le chat et Moussette le chien. On sera bien avancé sans ces nécessités. Quelle honte pour le quartier : *« Le fils du policier néglige ses devoirs de sentinelle parce que sa mère le nourrit mal. »* Il ne restera plus qu'à s'exiler.

Ma mère est un fin stratège. Elle comprend vite la gravité de la situation et sait qu'elle ne peut confier la garde à ma sœur qui, en tant que marcheuse, ne tient plus en place et manquera de voir venir l'envahisseur. D'ailleurs, je suis plus haut qu'elle sur ma chaise haute ; le poste de garde me revient donc. Ma cage thoracique se fend de mes cris de plus en plus perçants. De colère, je lance au chat la cuillère qui a servi à me faire avaler une infecte purée de carottes ; il m'en voudra longtemps. Je ne sais pas encore ménager mes troupes. Il me pardonnera bien mon inexpérience.

À l'aide d'une aiguille à coudre, ma mère conçoit une invention géniale qui nous rendrait millionnaires si elle la faisait breveter : elle agrandit le trou de la suce afin de laisser passer le Pablum qu'elle a décidé d'ajouter à mon lait. Sous les yeux de ma sœur émerveillée par tant d'astuce, elle me rend la bombonne remplie d'un mélange épais de cette céréale et de lait. Le trou agrandi fonctionne à merveille. Ma mère, génie de l'agroalimentaire ! Le mélange chaud et épais me coule dans la gorge et vient calmer cette désagréable sensation de vide que le lait a laissé après son passage. Je vide le tout en un rien de temps, en poussant un râle de satisfaction.

Le Pablum, apprendrai-je beaucoup plus tard, est une invention canadienne. Le lait, lui, est là depuis toujours. Personne ne l'a inventé, mais il coule à profusion dans notre maison bien protégée des voleurs. Je fais claquer ma langue de satisfaction, ce qui aide ma mère à se sentir moins coupable de négligence.

– S'il n'a pas assez de ça, c'est qu'il est percé quelque part !

•

Le mélange lait-Pablum me contente pendant quelques minutes, jusqu'à ce que mon appétit, comme une tumeur maligne, reprenne le dessus. Je recommence à exprimer ma faim par de grands hurlements à fendre le cœur d'un SS. Cette fois-ci, ma mère doit faire fonctionner ses méninges de diététicienne longtemps, avant de trouver la solution finale à mon problème. En fait, c'est mon père qui, à son insu, a trouvé l'arme secrète pour me faire taire. Il l'a introduite un jour dans l'appartement, inopinément, et l'a rangée dans une armoire à très haute altitude. Longtemps la boîte de métal est restée là, attendant son jour.

Ce jour-là, le monde entier changera par la découverte de cette malheureuse boîte oubliée dans l'armoire. Je m'époumone donc, je crie au meurtre, la faim me révulse les yeux de douleur, je me tortille sur ma chaise comme un possédé, pendant que ma mère, prise de panique, cherche en vain le remède à mes maux, l'eau bénite qui chassera le démon. Ma sœur fait ce que toute sœur ferait dans ce cas, elle sort Minou et Moussette dans le jardin pour les mettre à l'abri de mes expériences en balistique. Entre deux cris, je vois ma mère, possédée par l'esprit de Pandore, les yeux au ciel, ouvrir la boîte apportée par mon père et la déposer sur la table après avoir mélangé une petite partie de son contenu à ma mixture lait-Pablum canadien. Sur la boîte d'arme secrète, on a peint une cabane en bois rond et de grands érables, comme celui qui pousse dans le jardin. En écriture rouge, je suis absolument et résolument incapable de lire : SIROP D'ÉRABLE PUR – PRODUIT DU QUÉBEC.

•

Maman semble déterminée. D'un geste souple et rapide, elle mélange le sirop doré au contenu de ma bouteille, qu'elle me tend ensuite d'un air incertain. Des années plus tard, je reverrai cette expression sur le visage d'un médecin qui m'aura prescrit un sirop infect pour la toux. Les mêmes yeux qui veulent dire : « Désolé, on n'a pas le choix, on a tout essayé... Pardonne-nous. » La même résignation dans le regard, je la devinerai pendant un reportage sur la bombe d'Hiroshima sur le visage des militaires américains à qui on a ordonné l'innommable. J'avale goulûment le mélange médicinal. Ce que je ressens ne se laisse pas expliquer en dehors de la figure de style. C'est Chartres, ce sont les Alpes, c'est Bernadette Soubirous dansant la samba, ce sont Bhopal et Tchernobyl, la conquête du pôle, les petits chanteurs de Vienne sur l'ecstasy, le requiem de Mozart en quadraphonie... Je vide en vitesse la bouteille sous les yeux remplis d'inquiétude de ma mère.

C'est l'heure zéro.

3

À treize ans, je lirai avec avidité *Moi, Christiane F., 13 ans, droguée, prostituée*. Le livre circulera sous la veste dans mon école, et tous ceux qui comptent dans la classe, c'est-à-dire la plupart des filles et deux garçons, se l'échangeront en secret de peur que nos parents voient de quelle littérature nous nous nourrissons. Le texte n'est pas pour les cœurs sensibles. Prostitution enfantine, déchéance urbaine allemande, drogues dures : il n'en faudra pas plus pour allumer le comité de censure composé de mes institutrices et de mes parents. Il me semble que celle qui longtemps restera dans mon esprit la championne des dépendances n'a pas commencé par se *shooter* à l'héroïne. La pute de Bahnhof Zoo a suivi un itinéraire de dépendances bien précis. C'est cependant ce qui m'arrive à un âge bien plus tendre que le sien. Quand on veut finir dans un fait divers avec des seringues qui pendent aux bras, on commence avec la mari, la coke, l'ecstasy ou la colle. Ma mère a décidé que je ne traverserais pas toutes ces étapes souffrantes à l'état conscient, en m'administrant l'héroïne de tous les sucres, le *nec plus ultra* des glucoses : le sirop d'érable. Dans cette sombre histoire de dépendance, tous les ingrédients déterminants resteront jusqu'à la fin résolument canadiens.

•

À vrai dire, le poison prend quelques minutes pour se répandre complètement dans mes veines. Il y a une période d'attente fébrile où l'on se demande ce qui arrive exactement. L'état second frappe subitement. D'abord une pression dans la poitrine, une envie de l'âme de sortir de son carcan. On a l'impression de pouvoir tout faire, la certitude que l'on va tout faire sans trop savoir par où commencer. Dilatation notable des pupilles. Je sens les cristaux de sucre engourdir le bout de mes charmants petits doigts potelés. C'est à ce moment que j'aperçois pour la première fois la Vérité. À ce moment-là, je ne sais pas qu'il s'agit d'elle. Je ne la reconnaîtrai que vingt ans plus tard dans une peinture de Gérôme. Elle se présente à moi entièrement nue et ruisselante, car elle vit, comme chacun le sait, dans la rivière Matapédia. Gérôme la représente assez fidèlement sous un corps de femme, sortant du puits, armée de son martinet venant châtier l'humanité. Ce jour-là, grimaçante et mouillée, elle m'assène un coup de martinet en plein visage, et je tombe profondément endormi, oubliant mes responsabilités de vigile. C'est ma première intoxication au sucre et l'origine de ma dépendance. C'est aussi le début de la fin pour Nixon qui vient de déclarer la guerre à la drogue.

À partir de ce jour, je n'aurai jamais la tête « claire », comme le dirait Christiane F. On ne revient pas de pareilles toxicités; des séquelles graves continueront de me perturber. Il m'arrivera de me lever en pleine nuit pour me faire une tartine de confiture. Parfois, vers les trois heures de l'après-midi, j'aurai envie de vendre ma dernière possession pour un peu de sirop d'érable, mais je devrai me rabattre sur autre chose. Il n'y a pas de désintoxication définitive après un plaisir comme celui-là. On n'a qu'à demander à ceux qui ont cessé de fumer. Ont-ils pour autant perdu l'envie ? Nenni. Ils ont cessé de faire la chose ; il y a une grande nuance. Ma mère m'intoxique donc à neuf mois. Ne voulant pas mourir seul dans ma dépendance, j'essaierai de contaminer ceux qui m'entourent, ceux qui, selon moi, en vaudront la peine.

4

Pendant trois semaines, ma mère me sert le mélange divin. Dans cette économie du désir, sa propension marginale à importer est de zéro. L'arme secrète est fabriquée uniquement à partir de composantes canadiennes. Lait-Pablum-sirop d'érable. Elle clôt habituellement le rituel en allumant un bâton d'herbe, extrait d'une petite boîte de carton, qu'elle porte souvent à ses lèvres pour qu'il continue de brûler et d'embaumer toute la pièce. L'odeur de cette herbe achève de me faire tomber endormi après chaque repas ; la Vérité n'a plus à se manifester et peut tranquillement continuer sa nage dans la rivière glaciale. Maman semble avoir une réserve infinie de ces bâtons d'herbe qu'elle partage avec mon père. Cette herbe semble posséder des propriétés magiques, qui permettent à celui qui en respire la fumée de courir plus vite ou de s'endormir en paix, selon les besoins. Je me demanderai longtemps pourquoi la Vérité n'est apparue qu'à moi et pourquoi elle a attendu mon premier choc de sucre pour le faire.

Grâce aux effets du sucre, je commence à saisir la hiérarchie complexe qui définit les rapports entre les hommes et les femmes. D'abord, mon père n'est pas mis au courant de l'arme secrète. C'est une décision stratégique de ma mère. Moins il en saura, moins les voleurs pourront en apprendre sur nous. L'informer le mettrait inutilement en danger et compromettrait du même coup notre sécurité à tous sur le plateau. Les Allemands n'ont quand même pas fait cadeau à tous leurs soldats des plans de la fusée V2 ! Dans le même souci de sécurité, ma mère garde pour elle et pour moi le secret de cette mixture. Marie-Josée n'est pas plus mise au courant que le chat ou le chien. Cela devait rester à jamais un secret entre mon fournisseur et moi. Mais des circonstances humiliantes forceront ma mère à dévoiler son secret.

À chaque administration de la mixture divine, je prends un peu plus de volume. À la troisième dose, je sais que j'ai atteint le point de non-retour et que chaque dose portera en elle la promesse d'être aussi fulgurante que la première. La pensée de l'accro est très simple à saisir : il est profondément convaincu d'être en parfait contrôle de la situation, même si son poison lui est administré par d'autres. Pour bien comprendre l'entêtement du jeune accro à se droguer jusqu'à toucher le fond, l'exposé de sa vision des êtres qui l'entourent est essentiel. Il se dit que tous sont passés par là et qu'ils ont réussi à s'en sortir, qu'il n'est en fait pas différent des adultes qui cachent tout bonnement derrière leurs reproches, leurs anciennes dépendances. *Moi, je le fais pour les bonnes raisons*, ou encore *Le monde entier est composé d'anciens drogués* deviennent des devises.

Après trois semaines de mixture secrète, je commence à gonfler singulièrement. Mon souffle devient court, et c'est cela, je crois, qui alerte mon père. Il a beau brûler autant de bâtons d'herbe qu'il le peut, je ne respire pas mieux. Ma mère n'a plus d'autre choix que de lui livrer le secret de mon silence. Il en reste bouche bée. Preuve que le mélange agit non seulement sur celui qui le consomme, mais également sur celui qui en apprend l'existence. Je me mérite une balade dans la Ford verte familiale vers un endroit appelé sèchement « hôpital » pour qu'un conseil de sages étudie mon cas. Le mot me déplaît immédiatement. Sa consonance n'augure rien de bon. Ses consonnes sont trop dures pour mon état de conscience extralucide. On le répète pourtant plusieurs fois ; comme une sentence, il résonnera dans le labyrinthe de mes oreilles pendant des années.

L'hôpital d'Amqui est situé, comme le château de Dracula, sur le sommet d'une montagne, à des années-lumière de notre plateau. J'y suis transporté par mon père et ma mère, tandis que ma sœur reste chez Mme Roberge pour monter la garde. À mon arrivée, une horde d'hommes et de femmes vêtus de blanc comme des mouettes s'agglutinent autour de moi, béats d'admiration devant ma mignonne frimousse. C'est là que je comprends que ma mère, si elle est un génie de la chimie, ne possède aucune notion d'espionnage. Elle leur explique en détail la composition de l'élixir du silence, dont elle me nourrit depuis trois semaines, sans se douter que nous sommes en plein camp ennemi. Je m'en rends rapidement compte quand le chef des mouettes, qui se fait appeler Docteur – autre mot à consonance violente – commence à dévoiler son jeu. De partout, je les entends dire : « Docteur-ci », « Docteur-cela » ; une voix sortie des plafonds hurle le nom de Docteurs invisibles. Seigneur ! Il y en a donc plus d'un ? Ce mot d'une laideur rare et d'une violence inouïe accompagne mon atterrissage de la mixture magique. Je vomis de terreur.

•

– Mais au nom du ciel, qu'avez-vous donné à cet enfant ? demande-t-il, feignant l'ignorance totale, alors qu'il se doute d'être sur la piste d'un secret plus grand que lui. Si l'on veut plus tard représenter le tortionnaire dans une coproduction anglo-américaine, on devra lui coller un accent guttural. De l'allemand, du russe, de l'arabe ou autre sonorité effrayante et indésirable à l'oreille alliée.

– Du lait, répond ma mère.

– Du lait ? À voir cet enfant, c'est du suif pur que vous lui avez injecté !

– Je vous en prie !

– Je dois savoir ce qu'il a mangé.

Les hommes de science sont ainsi. Savoir ce que j'ai mangé ne lui est d'aucune utilité. Il est assez évident que j'en ai tout simplement trop mangé. On vous pose des questions de ce genre à l'hôpital. « Pour mieux vous aider », qu'ils disent. Tout ce que l'on veut entendre, c'est la prochaine histoire que l'on racontera à sa femme, à sa maîtresse ou à son collègue de cardiologie. Si vous vous présentez à l'urgence après avoir gobé une drogue illicite quelconque, on vous demandera en détail ce que c'était, même si le traitement est le même : lavement d'estomac. On veut simplement que vous serviez d'exemple aux enfants des infirmières, par le médium de leurs potins.

– Je lui ai donné un peu de Pablum...

– Un peu de Pablum n'a jamais créé tel monstre.

– Avec du sirop d'érable...

– Mais vous êtes folle ? raisonne l'homme de science, cet enfant risque d'en mourir. Il doit être hospitalisé et mis au régime sur l'heure.

Est-il utile de noter que le maître de ces lieux d'épouvante aurait rendu le même verdict, suivi de la même sentence, même si ma mère m'avait gavé de jus de navet? Un point accordé au diététiste en herbe: le jus de navet ne m'aurait pas transformé en bonhomme Michelin miniature. Deux points accordés au psychanalyste: le jus de navet aurait été identifié comme motif d'un matricide sanglant.

Ma mère tombe dans le panneau. L'ignoble bluff du Docteur fonctionne, et mes parents m'abandonnent à l'hôpital, où je suis soumis à maintes tortures. C'est ma première cure de désintoxication. Je comprends dès maintenant que si je dois survivre à ce séjour aux enfers, j'apprendrai à parler le plus vite possible, quitte à prendre des leçons de ma sœur, pour être capable d'avertir ma mère quand de telles infamies se produiront. Parler et marcher: voilà quelles seront mes aspirations dès ma sortie de l'hôpital. Mais je n'ai pas le temps de bâtir un programme d'apprentissage complet que les effets de ma dernière dose d'élixir commencent à se dissiper. Je décide alors de combattre avec les moyens du bord.

Des années plus tard, je regarderai un reportage sur les Marines américains, rentrés au bercail après la guerre du Vietnam. Encore sous l'effet des amphétamines dont ils sont devenus dépendants, ils réclament leur dose. Or, sans que le monde en soit informé, je vis en ce moment à l'hôpital d'Amqui le même enfer de privation.

Ma cure à moi est cependant beaucoup plus violente. Parlez-en à Elton John, à Johnny Cash et à Marguerite Duras. Les assistantes du Docteur se relayent à côté de mon grabat de torture. Je décide de leur en donner pour leur argent. Ainsi, pendant trois semaines, je hurle comme un camé en état de choc, je crache sur des infirmières plus ignobles les unes que les autres. Elles aboient entre elles le mot *Garde* comme s'il s'agissait d'un grade militaire : « Garde Thériault ! », « Garde Desrosiers ! », « Garde Voyer ! » Autant de mouettes infâmes qui imprégneront longtemps mes cauchemars. Il y en a une en particulier dont je me souviendrai toujours. Elle apparaîtra dans mes cauchemars comme un spectre en uniforme blanc. Elle exige des autres prisonniers qu'on l'appelle « Garde Sirois ». Décidément, on ne lésine pas sur le vocabulaire dans cet endroit. Du crachement douloureux de « Docteur », on passe à l'écorchante Garde Sirois qui siffle sur nos têtes.

Elle est d'une blondeur et d'une minceur désolantes, contrairement à ma mère qui est brune et ronde. Ce sont les premiers signes de son infériorité et de sa mesquinerie. Je crois que le Docteur a conclu un pacte diabolique avec elle, car elle a hérité de la périlleuse mission qui consiste à me nourrir. À l'aide d'une cuillère de métal, elle me tend des purées de légumes, spécialement conçues pour me faire souffrir. Carottes, navets, patates et autres tubercules broyés défilent dans le petit bol. Je croirai cependant lui enseigner une leçon d'humilité. Un jour qu'elle entre dans ma chambre armée d'une gluante purée jaunâtre de navet et d'une bouteille remplie de lait écrémé, je ne pousse aucun cri. D'habitude, je laisse Garde Sirois s'approcher à un mètre de moi et je me mets à hurler comme un cochon que l'on égorge. Elle a d'ailleurs choisi le nom de cet animal pour parler de moi à ses acolytes, mais n'en fait aucune mention quand, une fois par jour, on autorise ma mère à me visiter. Elle s'approche donc et je joue le jeu de celui qui a fléchi. Je la mets en confiance. Visiblement satisfaite, elle croit à sa victoire et je la laisse agiter la purée en lui servant mon air angélique auquel personne ne résiste. Elle sourit du sourire de la Gorgone et, au moment où la cuillère s'approche de ma bouche, je la saisis et la lui lance en pleine figure. Elle reçoit dans l'œil la purée de navet qu'elle s'empresse d'essuyer en se tordant de douleur. Quelle vache ! Si ce brouet infâme semble dangereux pour votre œil et votre peau, quels seront ses effets sur mon fragile estomac ? Je n'arrive pas à y croire : ce qu'elle me fait ingérer tous les jours est si toxique, que le seul contact avec son œil l'effraie. Et la misérable de se rincer l'œil sous le robinet du lavabo. Elle fuit vers le corridor. Mais ma victoire est de courte durée.

Peu après, la vilaine refait apparition, flanquée du Docteur.

– Alors on ne veut pas la purée ?

– Garghhh !

J'essayais de dire : « Va te faire foutre avec ta connasse, vieux demeuré ! » Mais j'ai encore un rude travail à faire sur mon accent. Il ne pige rien à mes insultes et me force à avaler l'indescriptible bouillie pendant que je fais de mon mieux pour le frapper de mes pieds. La blonde me tient les bras derrière le dos. C'est une scène d'une rare laideur, à déconseiller aux cœurs sensibles.

Il y aura cependant, et il faut le mentionner, pendant ces semaines de séquestration dignes de Soljenitsyne, comme dans tout récit concentrationnaire, quelques rares instants baignés de bonté humaine. Dans ce centième giron du millième cercle de l'enfer, que l'on a inauguré un an avant ma naissance et baptisé par pure malice « Hôpital Notre-Dame-de-l'Espérance » – Que ses bailleurs de fonds soient plongés dans un fleuve de fiente humaine ! Que son architecte soit couché dans une tombe brûlante ! Que son conseil d'administration soit exposé vivant aux becs des harpies ! Que les chairs putrides de ses décorateurs soient dévorées par des chiennes faméliques ! –, l'une des Gardes, qui m'a vu enfermé dans ma chambre et qui a surtout entendu mes cris de rage, s'intéresse à mon cas. Elle a dû infiltrer ingénieusement l'hôpital en tant qu'espionne par je ne sais quel stratagème. Peut-être est-elle de mèche avec ma mère? Je ne le saurai jamais. Le soir, cette envoyée du ciel s'approche de mon lit, après le départ des autres infirmières, et me tend un petit biscuit au gingembre qu'elle a caché dans la poche de son sarrau. Je la laisse me caresser la tête et croque dans le divin cadeau. Je ne reverrai plus la taupe pendant longtemps, une petite noiraude qui se pare les paupières de bleu ciel, probablement pour afficher ses origines célestes. Mon adorée Dame de l'espérance.

Le fait que je réussisse à survivre à l'hôpital n'est qu'une autre preuve que je suis destiné à des combats encore plus dangereux et que j'ai la peau coriace. En effet, de guerre lasse, le Docteur me laisse quitter l'hôpital, tout en interdisant à ma mère de me resservir l'élixir. Cette expérience a été très formative et décisive dans la constitution des alliances futures. Dans le malheur, on grandit plus vite. J'ai maintenant dix mois et je suis déjà parvenu aux conclusions suivantes. Primo: seul le sucre rend l'existence supportable. Secundo: les gens se divisent en deux groupes, ceux qui vous donnent du sucre et ceux qui vous le refusent. Tertio: ce dernier groupe inclut une faction très inquiétante, ceux qui vous enlèveront le sucre.

Ce sont des voleurs de sucre. Ce témoignage se veut une célébration de leur défaite cuisante et une mise en garde pour les générations futures.

5

La séquestration dans l'hôpital fissure le bloc solide de notre famille. D'abord, je me rends compte qu'en mon absence, les voleurs n'ont toujours pas envahi le plateau. Mon père doit donc accomplir à merveille son travail de surveillance, ce qui me permet de me concentrer sur mes nouvelles résolutions. Le statut de ma mère a aussi changé. On la place sous haute surveillance, et il lui est interdit de me nourrir de l'élixir. Elle doit donc user de ruses pour me passer en secret le sucre qui est devenu ma raison de vivre. Ma sœur, elle, se voit promue au rang de conseillère officielle. Après tout, elle peut m'enseigner à marcher, à parler et a dix-huit mois d'avance sur moi à Amqui. Elle me confie qu'elle n'est pas née dans notre ville, mais ailleurs où existent d'autres rivières et d'autres chats. Je la laisse délirer sur ces fabulations. Je ne lui demande pas d'être sensée, mais de m'initier à la marche et à la parole. Mon entraînement dure plusieurs mois pendant lesquels je deviens de plus en plus mobile et volubile. Je pardonne à mon père l'ignoble abandon à l'hôpital et je cultive avec ma mère une relation basée sur l'échange sucre contre sourires adorables.

Il faut ici disserter sur le sucre afin de dissiper toute confusion sur ses effets, sa pureté, sa noblesse. Je dis cela, car je connais d'innombrables imbéciles pour qui tous les sucres sont les mêmes. La plupart de ces gens manifestent aussi contre l'avortement et encouragent des lois plus sévères pour les jeunes contrevenants. Dans leur hypocrisie, ils jugent à l'emporte-pièce la noble substance qui deviendra longtemps mon carburant. Si je commets l'acte réducteur de l'appeler ici sucre, c'est dans le but ultime d'être compris. Le jargon de la rue ne serait d'aucune utilité. On dit que les peuples de l'Arctique disposent de sept vocables pour parler de ce que nous, ignares du Sud, appelons vulgairement « neige ». Il en va de même du sucre. C'est un continent à découvrir. Il y a d'abord les sucres naturels, ceux que l'on retrouve dans les oranges, les prunes et les framboises. En cas de manque extrême, ils procurent un faible substitut à leurs transformations chimiques. *Faute de grives, on mange des merles.* Ensuite, on retrouve les yaourts, les glaces, les « fantas ». Ceux-là ont l'avantage d'être liquides et de faire effet très vite. Après, il y a la première catégorie de substances contrôlées : bonbons et pâtisseries de toutes sortes, c'est-à-dire caramels, *chewing-gum,* gâteaux, choux, tartes, puddings, etc. Là, nous sommes déjà en présence de l'interdit. Nudité frontale complète et sucrée. La frontière entre ce qu'ils me permettent d'ingérer est de nature purement chimique. Il s'agit de concentration. Rien d'autre. Finalement, il y a le sucre raffiné qui peut vous envoyer dans le coma en une minute. Ma sœur et moi, on n'y touche pas ; ça, c'est pour les vrais accros.

Mais au-dessus de toutes ces formes, il y a le sirop d'érable et ses dérivés : tire, beurre et sucre d'érable. Il n'y a pas, à part peut-être le miel et la mélasse, de produit plus fin, de plaisir plus pur que ce que l'on extrait de l'érable depuis que les Hurons ont trahi le secret. La recette est désarmante de simplicité. Il suffit d'entailler des érables à sucre afin d'en recueillir la sève. Ce jus précieux est ensuite bouilli sur un feu constant jusqu'à l'obtention d'un sirop. Voilà. Un simple laboratoire peut approvisionner plein de *dealers* qui, eux, entretiennent la dépendance au glucose à grand prix. Des fortunes et des empires se sont construits autour de la feuille d'érable divine. La preuve en est que, partout dans Amqui, flotte un drapeau blanc et rouge arborant en son centre une feuille d'érable. Il y en a un devant le bureau de poste, la mairie, l'école primaire et presque toutes les stations d'essence. Le visiteur sait dès son arrivée qu'il se trouve au centre de l'Univers, à la source de toute joie.

Or, il se trouve que, même en plein cœur du pays sacré de l'érable se trouvent des impies, des révolutionnaires voulant renverser l'ordre établi pour imposer leurs insalubrités – j'entends par là la purée de navets et de pommes de terre – aux heureux habitants d'Amqui. Mais Maman veille. Ici, on exige de tous un peu d'honnêteté et de franchise. Qui donc échangerait trois gouttes de sirop d'érable contre une récolte de navets fraîchement extraits du royaume des vers, encore humides de la terre, dont ils tirent leur jus infect? Elle ne les laissera pas faire.

J'en viens à former avec ma sœur une union indestructible. Elle me montre l'essentiel: la rue Saint-Louis, la demeure de Mme Roberge, *Boubou Pizza*, le fabricant de cerfs-volants et la roulotte-aux-bonbons. Le reste, c'est-à-dire toutes les activités secondaires qui ne sont pas directement reliées au sucre: le français, les bonnes manières, lire, écrire, l'école, la télévision et l'opéra, je tomberai dessus par hasard plus tard dans la vie. Il se passe encore une année avant que Marie-Josée ne m'inculque les raffinements de la marche et de la parole. Pendant ce temps, mon père continue sa chasse aux voleurs et ma mère, de me fournir en sucre de temps en temps. Mais j'en veux davantage. Je découvre alors la roulotte-aux-bonbons.

•

À l'été de 1972, ma sœur me fait comprendre que ma mère ne détient pas un monopole sur le sucre et que si je veux maintenir mon approvisionnement sans que cela ne la place dans de compromettantes situations, je n'ai d'autre choix que de m'aventurer au-delà du jardin sur lequel donne notre cuisine.

– On peut avoir des bonbons contre des bouteilles, m'annonce-t-elle un jour.

Cette nouvelle a sur moi l'effet de la découverte de la pénicilline dans un bordel parisien.

– Pourquoi tu ne me l'as pas dit avant ? m'enquiers-je, contenant ma colère.

– Tu n'aurais eu aucun contrôle. Si tu promets de ne pas le dire à maman, je t'emmène à la roulotte-aux-bonbons.

•

Je n'ai pas d'autre choix que de me soumettre à ses ordres. La perspective du gain est assurément trop intéressante. Elle me mène donc vers ce qui deviendra ma Mecque. Par ailleurs, le drame du sucre d'érable a eu des conséquences fâcheuses pour ma mère. En effet, elle a commencé depuis quelques mois à se rendre tous les jours à l'hôpital pour travailler à la cafétéria de l'endroit. Ainsi le

Docteur la punit par le châtiment le plus cruel qui soit. Je l'imagine pelant des navets du matin au soir pour que la Garde blonde les fasse avaler à d'autres malheureux prisonniers. Mais il y a une autre explication plausible : ma mère a dû s'enrôler volontairement au goulag pour ajouter du sirop d'érable à la purée de navets des patients. Voilà ! Une fois encore, je suis sidéré par son génie militaire extraordinaire. Elle va au cœur du problème. L'autre Garde n'est qu'une résistante sans grand pouvoir, vouée seulement à soulager la peine des prisonniers. Ma mère, elle, a commencé un sabotage des plus efficaces de l'armée anti-sucre. L'idée d'être le produit d'un stratège aussi génial me remplit de fierté, même si je dois endurer Valérie, celle qui a été engagée pour veiller sur le chat et le chien. On a refusé de les laisser seuls, et comme les armoires où sont rangées les boîtes de nourriture pour chats sont trop hautes pour ma sœur et moi, une adulte doit passer la journée à s'assurer que Minou et Moussette ne manquent de rien. De nous, elle ne fait pas grand cas, s'étant rapidement rendu compte de notre autonomie. Même si elle a reçu des directives claires de mon père, qui est passé dans le camp des anti-sucres, il n'est pas très difficile d'en extraire un gâteau en échange de quelques supplications. Elle représente cependant un risque : d'abord, elle a la manie de moucharder en livrant tous les détails à mes parents à propos de ce que j'ai mangé, ce qui les pousse à réduire encore les doses déjà ridicules de sucre qu'ils m'accordent. La roulotte-aux-bonbons devient une solution à ce problème crucial d'approvisionnement. Mais pour que le stratagème fonctionne, il faut que Valérie ne s'aperçoive pas de nos expéditions. Là, ma sœur donne raison à toutes les théories sur l'hérédité par une ruse digne d'un roman de la guerre froide.

Valérie a reçu l'ordre de nous faire dormir après le repas du midi. La fenêtre de notre chambre est haute, certes, mais un empilage savant de chaises, de nounours et d'oreillers nous permet d'en atteindre le rebord, de l'ouvrir et de nous retrouver trottinant rue Saint-Louis. Je suis mon guide vers l'inconnu. Au bout de la rue Saint-Louis, la rue Rodrigue descend vers la gauche sur une pente qui mène vers la ville. Au coin de la rue Rodrigue et du boulevard Saint-Benoît se dresse la roulotte-aux-bonbons, qui se révèle encore plus attirante que la maison de la sorcière d'*Hansel et Gretel,* et au sujet de laquelle il est rassurant de préciser tout de suite que personne n'y fut jamais séquestré ou immolé vivant par le feu. Ces accusations ne sont que propagande. C'est une roulotte recouverte de tôle, flanquée de deux énormes poubelles deux fois plus hautes que nous et de tables à pique-nique en bois où des inconnus consomment le repas du midi. Souvent, ils partent sans prendre la peine de jeter les bouteilles de soda dans les poubelles. Maintenant, sans que jamais je ne sache comment ma sœur a fait pour arriver à cette découverte, j'apprends que ces bouteilles peuvent être échangées contre des bonbons. Derrière la fenêtre de la roulotte s'affaire une femme aux cheveux bruns, pas plus âgée que ma mère, qui nous révèle qu'elle s'appelle Solange. Elle est prête à satisfaire tous nos besoins en bonbons en échange de ces bouteilles. C'est si facile que je commence à me douter qu'il doit s'agir d'un piège du Docteur. Mais les paupières de Solange sont couvertes d'une épaisse couche de bleu, signe maintenant clair que nous pouvons négocier en toute confiance. De Solange, j'apprends que le sucre a un prix précis et que la devise officielle du plateau est la bouteille vide. Avec elle, pas besoin de sourire, pas besoin de hurler pendant des heures. Tout ce qu'elle veut, c'est d'être payée en espèces sonnantes et trébuchantes de bouteilles vides. Plus la bouteille est grosse, plus le tas de bonbons reçu en échange est impressionnant. C'est simple. Les gens qui bouffent aux tables sont d'une générosité sans bornes. Il leur arrive souvent de nous donner carrément, avec le sourire, des bouteilles vides que nous apportons à Solange. Tout le manège ne dure pas plus de vingt minutes, et nous rentrons souvent chez nous avec une réserve de bonbons pour au moins vingt-quatre heures, que nous cachons sous un matelas. Nous avons découvert le Klondike. Encore une fois, c'est le Docteur qui me perdra.

Un jour d'expédition, ma mère rentre de l'hôpital plus tôt que prévu. Le Docteur a dû avoir eu vent de ma découverte et orchestrer ce coup bas depuis son camp de concentration. Maman découvre notre stratagème de sortie et engueule la pauvre Valérie à pleins poumons. Elle est cependant complètement à côté de la question. Elle reproche à la gardienne de Moussette et Minou le fait que des voitures passent rue Saint-Louis et que nous pourrions être écrabouillés par un chauffard. Elle doit bluffer. Nous imagine-t-elle si bêtes ? Nous avons appris à louvoyer entre les voitures depuis belle lurette. Ces mêmes voitures, d'ailleurs, s'arrêtent à notre passage en émettant parfois un son strident. Je ne comprends pas les raisons de son inquiétude. Peu importe. C'est presque la fin de la roulotte-aux-bonbons. Marie-Josée doit presque s'avouer vaincue. Mais je dois confesser que ce qui mettra vraiment un point final à nos excursions vers la roulotte sera ma trop grande témérité.

Un jour où Valérie s'est endormie sur le sofa, Marie-Josée m'annonce une expédition vers la roulotte. Je ne peux refuser. Nos réserves sont basses et je commence vraiment à être en manque. Nous repartons donc. À la roulotte nous attend une très désagréable surprise : personne ne mange aux tables, et à l'horizon, pas de bouteilles vides. Solange ne veut rien entendre : pas de bouteilles, pas de sucre. Mes sourires de chérubin n'ont sur elle aucune prise. Elle est là pour les affaires, que cela nous plaise ou non. Traverser le boulevard Saint-Benoît ne nous servira à rien, puisque nous ne saurons pas où aller une fois parvenus de l'autre côté, et surtout, le temps passe. Valérie se réveillera d'une seconde à l'autre. Il faut agir vite. Pendant que nous réfléchissons à notre plan d'attaque, un groupe bruyant de clients arrive dans le stationnement. À cheval sur des montures de métal qui produisent un bruit assourdissant, des créatures hirsutes et bariolées font leur entrée dans le stationnement.

– Mon Dieu, les Ailzes ! s'exclame Solange.

Les créatures rayonnent de santé. Bien ronds, vêtus de noir, leur apparence n'évoque que force et courage. Ils sont accompagnés de femmes si merveilleusement maquillées que leur seul visage dit : « Viens, j'ai pour toi les sucres les plus rares et les plus doux du monde. » Tels de gros nounours affamés, ils engloutissent des montagnes de fritures que Solange a préparées à la hâte en tremblant. Pour rincer le tout, les quatre sympathiques poilus vident rapidement d'énormes bouteilles d'eau gazeuse sucrée. Ma sœur a un mouvement de recul et ne semble pas comprendre l'ampleur du miracle: ces hommes sont la solution. Rien qu'à voir la richesse des couleurs qui ornent le visage de leurs compagnes, on comprend qu'ils sont du bon camp et qu'ils ne se feront pas prier pour aider deux petites âmes en manque. Je repasse donc en revue les stratégies qui ont fait leurs preuves. Pour les douceurs, Solange veut des bouteilles, Maman ne veut rien, Mme Roberge veut une comptine ou un visage triste, Notre-Dame-de-l'Espérance veut que je touche le fond; que voudront donc ces nouveaux amis? Leurs compagnes, parce que je suis irrésistible, m'approchent en premier.

– Comment t'appelles-tu, mon petit?

– Je m'appelle rarement.

J'ai déjà entendu l'un des enfants Roberge répondre cela, et sa mère s'était mise à rire. Le rire lui avait valu un pudding au caramel.

Un rire de poulailler secoue la bande. Ils sont conquis.

– On peut avoir vos bouteilles vides?

Je décide d'être direct. J'ajoute à ma requête la lippe qui fonctionne parfois avec Valérie. Éclats de rire général et victoire décisive. Marie-Josée et moi n'avons pas assez de mains pour déposer, sur le comptoir de Solange, les bouteilles que ma bravoure et ma vivacité nous ont fait gagner.

Nous retournerons tous les midis attendre les anges de l'enfer et nous formerons avec eux un pacte secret. L'économie du sucre amorce un nouveau cycle : ce sont des semaines de vaches grasses, presque obèses. Devenir le commensal des motards restera la collusion la plus profitable de ma vie. C'est comme si les dieux étaient descendus de l'Olympe et nous avaient activement cherchés de par le vaste monde. Et quels dieux nous avons ! De gros corps solides que le vent d'hiver peut bien essayer de renverser, des déesses à l'infini qui ont tout le sucre qu'elles veulent. À ce moment de mon exploration humaine, je place à un pôle ces magnifiques sauvages que tous semblent craindre et à l'autre, le Docteur et ses Gardes. Entre ces deux extrémités prennent place Maman, Papa, Moussette, Valérie, Mme Roberge et ma grande sœur. Dieu et Diable. Hitler et Ghandi. La Pute de Babylone et la Mère Teresa. Voilà comment il faut concevoir cette opposition. Leurs compagnes exigent souvent de nous que nous nous assoyions sur leurs genoux. Il s'agit là d'un bien mince tribut à payer pour autant de bonnes grâces. Un midi, je prends place sur les genoux de la compagne de celui qui semble être le chef de la bande, puisque la plus plantureuse des dames lui est réservée. Ma sœur est accoudée au bout de la table et attend avec impatience la fin de leurs ingurgitations. La déesse décide de bavarder. Je suis plus disposé que ma grande sœur à faire office de demoiselle de compagnie.

– Et ton Papa, qu'est-ce qu'il fait ?

– Il attrape les voleurs.

– Des voleurs ? Quelle sorte de voleurs ?

– Je ne sais pas trop. On dirait qu'il y en a de toutes sortes.

Jamais femme ne laissa glisser un enfant plus vite de sa cuisse. L'atmosphère tourne au plomb chez les créatures et leurs compagnes.

– Il a un uniforme, ton Papa ?

– Oui, toujours. Un peu comme vous. C'est un uniforme de policier.

À cet instant, trois cigarettes sorties de nulle part s'allument.

– Tu lui as parlé de nous à ton Papa ?

– Bien sûr que non ! Il vous empêcherait de me donner des bouteilles.

Les sourires revinrent lentement, comme après une fausse alerte nucléaire. Une odeur d'adulte commence à flotter dans l'air pur de l'est.

– Tu sais que si tu veux avoir d'autres bouteilles, il faut que tu ne parles de nous à personne... Ta grande sœur doit aussi le promettre.

– Pourquoi donc ?

Elle hésite longtemps avant de répondre et cherche des yeux l'approbation des dieux adipeux avant de me livrer la nature de leur secrète mission.

– Tu vois, nous aussi, on court après les voleurs... On a des uniformes ; bon, ils ne sont pas comme ceux de ton Papa, mais ce sont des uniformes quand même. On fait donc la même chose que la police, mais d'une autre manière. Si la police le savait, ça pourrait lui causer de gros ennuis.

Ma vision du monde s'élargit à chaque mot. J'envisage de nouvelles perspectives. D'abord ma sœur et moi rêvons depuis leur arrivée d'une promenade sur ces singulières montures de métal.

– On peut faire un tour avec vous... Ça aussi, ça restera notre secret.

•

Elle semble comprendre le marché. En moins de temps qu'il ne faut à Solange pour transformer une bouteille en réglisse rouge, nous nous retrouvons sur les montures qui rugissent dans le vent. Les créatures nous font faire le tour d'Amqui plusieurs fois, nous promènent le long de la Matapédia à des vitesses folles. Nous sommes ivres de pouvoir. Non seulement venons-nous de découvrir une force policière parallèle secrète qui nous fournit en sucre, mais on nous en a faits membres honorifiques. Que peut-il donc nous arriver de mieux ? Nous sommes au-dessus de tout et de tous. Cette complicité avec les dieux du glucose restera cependant longtemps secrète. J'ai peur que mes parents n'en ressentent de la jalousie et qu'ils ne nous éloignent des meilleurs *dealers* du monde. Ce n'est que dans plusieurs années que mes fournisseurs préférés arriveront au bout de leur règne. On leur fera la vie dure. D'autres bandes de motards leur déclareront la guerre, la police ne les laissera pas en paix, des procureurs sans scrupules s'acharneront sur leur sort et les feront condamner à de longues peines de pénitencier sous n'importe quel vaseux prétexte. Pourrai-je un jour leur rendre ce que je leur dois ?

•

Or, un jour de cet été de 1972, les motards sont à fumer (ainsi se nomme l'activité consistant à faire brûler ces petits bâtons d'herbe odorants) devant la roulotte de Solange en finissant leurs bouteilles de Pepsi. Ils ne semblent guère se soucier de notre présence. Nous décidons d'attendre, confiants qu'ils ne nous oublieront pas. À notre grand effarement, ils se lèvent brusquement et lancent, dans une énorme poubelle, les bouteilles vides. Désarroi complet. Comment allons-nous récupérer l'indispensable monnaie ? Pourquoi se conduisent-ils envers nous comme des rustres ? N'écoutant que mon courage et ma crise de manque qui menace d'éclater à tout moment, j'escalade la haute paroi de la poubelle à grands coups de « hi » et de « han », sous le regard ahuri de Marie-Josée.

– Tu vas tomber au fond, imbécile !

– Tiens-moi les pieds et ne lâche pas prise! Dès que je tiens les bouteilles, tu me remontes...

– Mais tu sais combien tu pèses, gros lard? J'y arriverai jamais!

– Fais un petit effort!

L'inéluctable arrive: ma chaussure reste dans les mains de Marie-Josée, qui commence à hurler. Du fond de la poubelle d'acier, je l'entends appeler à l'aide.

– Mon frère est dans la poubelle! Il est tombé! Au secours! À l'aide!

Solange ne bronche pas. Elle ne va pas risquer de perdre une vente en quittant son comptoir pour secourir un pauvre accro du fond d'une poubelle. Mes cris résonnent sur les parois métalliques de ma putride prison. Il y a un moment, dans la vie de tout camé, où il touche le fond d'une manière figurative. Or, ce fond gluant et sombre de la dépendance, tel qu'il sera décrit par certains *preachers* américains, j'ai la chance d'y planter mes dents de lait à l'âge de deux ans. Il y a, au fond de cette poubelle, une dizaine de bouteilles. Je décide de glisser mes dix petits doigts dans les goulots. Si je ressors d'ici vivant, me dis-je, ce sera le coup du siècle chez Solange. Je sens une main puissante agripper mon pied. Les sanglots pathétiques de ma sœur se calment pour laisser place à un rire caverneux. C'est un Ange de l'enfer qui me sauve d'une mort certaine dans la benne des éboueurs.

Il prend le parti de rire de la situation. Je n'ose l'engueuler. Ma plongée dans les immondices est très fructueuse : je sors avec une bouteille au bout de chaque doigt. Solange, visiblement impressionnée par cette pêche miraculeuse, en rajoute sur la dose habituelle. Nous rentrons chez nous avec des bonbons plein les mains, ce qui achèvera de nous perdre.

•

J'apprendrai beaucoup plus tard ce que Solange a voulu dire, à travers sa grille phonétique hésitante :

« Les Ailzes ! » Comprendre : les « Hell's Angels », Anges de l'enfer, suppôts de Satan, disciples du mal, etc. Je dois avouer que, sur le moment, les Anges ne m'apparaissent pas comme une menace directe. Mon taux de sucre descend à vue d'œil et cela seulement m'importe. Les motards m'apportent le salut.

Nous avions trouvé une cachette imprenable pour tout le sucre que nous trouvions un peu partout : l'espace entre les matelas. Mais lors de l'incident de la poubelle, l'endroit devient trop étroit. Valérie y met le nez et force Marie-Josée à tout avouer : les excursions quotidiennes à la roulotte, les Anges de l'enfer, Solange, toute la combine, quoi ! À partir de ce jour, nous serons placés sous une surveillance étroite en compagnie de Minou et Moussette, et notre monde se limitera au jardin surplombant Amqui, et à la rue Saint-Louis. Mais comme aurait dû le dire un sage de nos contrées : si tu ne peux aller aux sucres, laisse les sucres venir à toi.

Le triste incident de la poubelle vient mettre un terme à l'approvisionnement chez Solange. Curieusement, Valérie cesse de venir remplacer Maman tous les jours de la semaine. La direction de l'hôpital a dû se rendre compte de son stratagème, et elle est à nouveau avec nous tous les jours.

À l'automne, une horde de voleurs a dû envahir toute la vallée, car mon père ne se présente que rarement à la maison. Marie-Josée a trouvé d'autres loisirs chez les voisins, de l'autre côté de la rue Saint-Louis, et je me vois forcé de vivre dans un isolement presque complet. Maman a dû se rendre compte que ma dépendance prenait des proportions alarmantes et préfère changer mon régime alimentaire avant de me voir récupéré par le Docteur. Elle ne me fournit que très rarement de l'élixir et jette son dévolu sur des formes moins pures et moins nobles de sucre. Ce sera une période de sevrage assez difficile que je ne traverserai pas sans l'aide de la Vérité, de Minou et de Moussette.

Maman me condamne à jouer dans le jardin, d'où j'observe la ville et son activité au pied d'un érable grandiose auquel l'air de l'automne donne des couleurs hallucinantes. Sous mes yeux, le noble végétal se parc lentement de jaune, de rouge et d'orange. Je passe des heures de bonheur à l'observer en compagnie de la Vérité qui, probablement par pitié, me visite de plus en plus fréquemment. Elle apparaît toujours quand je suis seul dans le jardin à observer Minou perché sur une cabane à oiseaux. Il attend là sa proie, et je guette le moment où l'oiseau va sortir de la petite maison pour se faire happer par des griffes meurtrières. C'est pendant ce spectacle d'épouvante, digne d'Edgar Allen Poe, que la Vérité vient me visiter. Elle vient toujours nue et ruisselante, comme le jour où elle m'a pour la première fois giflé et rendu conscient de son existence. À n'importe qui d'autre, elle ferait peur. Elle a de longs cheveux noirs dégoulinants d'eau, des yeux noirs de charbon et une expression permanente d'épouvante dans le regard. Sa peau délavée rappelle celle de ces corps de noyés que l'on retire des mers au printemps et dont Zola s'inspira pour poser les pierres de sa littérature putride. Non, elle n'est pas belle à voir. Lorsqu'elle s'assied près de moi, elle dépose le martinet qu'elle porte toujours lors de ses sorties, au cas où il se trouverait sur son chemin quelque aveugle à réveiller de sa torpeur. Nos conversations prennent l'allure d'échanges entre un maître de philosophie et son élève.

– Minou est-il un voleur ?

– Bien sûr que non.

– Et Moussette ?

– Non plus. Comment arrivez-vous à des pensées aussi incongrues ?

– Papa court souvent après eux !

– Les seuls voleurs sont des voleurs de sucre. Comme les chats et les chiens ne mangent pas de sucre, mais des oiseaux et des boulettes de viande, ils ne sont donc pas des voleurs. Si votre père les pourchasse, c'est dans le simple but de s'entraîner à attraper les vrais voleurs.

•

La Vérité m'aide donc, à l'automne de 1972, pendant que d'autres Canadiens préparent des Jeux olympiques hors de prix ou des référendums voués à l'échec, à lever le voile sur certains grands mystères de la vie. Les conversations avec la Vérité sont intenses à ce moment. Avec les années, telle une compagne de collège que les vicissitudes de l'existence nous forcent graduellement à perdre de vue, elle espacera ses visites, croyant probablement que je n'ai plus besoin de notre précieuse alliance.

Ce sevrage, cette seconde désintoxication, m'est donc imposé par ma mère elle-même. L'usage d'une matière aussi forte que le sucre ne s'arrête pas du jour au lendemain. Du jour au lendemain, cela veut dire des siècles pour un véritable accro. À l'hôpital, ce qui vous aide, ou enfin, vous contraint, c'est l'armée de tuniques blanches qui vous guettent. Le faire soi-même sans aide à la maison, justement pour éviter un séjour à l'hôpital, relève de l'exploit. D'abord, on se fixe une date, voire une heure, pour la dernière dose. On s'entend tacitement avec la fournisseuse. On sait appréhender les horreurs qui viennent. Une fois que les effets de la dernière dose de sucre sont dissipés, bonjour ! D'abord, les pupilles se dilatent, on a la chair de poule, on sait que les heures qui viennent seront l'enfer.

– Donne-m'en un peu !

– Non !

– Juste un peu !

– Je t'ai dit non.

Cris et pleurs.

Souvent, le refus de la fournisseuse est suivi d'actes de violence incontrôlables. Des coups de pied et de poing, sur tout ce qui bouge ou ne bouge pas. Aucune parole ne peut apaiser le feu qui monte et qui exige de la poudre blanche. On se met alors à fouiller. Aurais-je dissimulé quelque part une dose ? L'aurais-je oubliée là ? Certainement. Il me semble que juste un peu m'aiderait à traverser cette horreur. Partout, des armoires fermées, des pots vides, des paquets de biscuits dissimulés. Je sais qu'elle les cache là, je les sens... Ensuite la tête vous écrase vers l'intérieur. J'entends par là cette pression abominable, comme si l'on vous avait placé dans un étau et que, lentement, une main invisible serrait la vis... Les hallucinations : on voit des nuées d'insectes inconnus, des points blancs, des araignées et des communistes partout. Je me roule par terre, je demande, j'exige, je suis matériel à exorcisme.

S'ensuit une période de sueurs où le corps ne sait plus s'il est volcan ou glacier. Vomissements sonores. À ce point de la souffrance, il m'arrive de mordre le grand érable du jardin dans l'espoir que sa sève apaise ma douleur. J'accepterais n'importe quelle saleté à n'importe quel prix. Vingt bouteilles pour un jujube ? Oui, je les trouverai tout de suite ou je vous les devrai ; donnez-moi seulement ce jujube, je vous en conjure ! On vendrait son chat, on se couperait un doigt avec un couteau à beurre pour une réglisse desséchée. Certains ignares inexpérimentés pensent qu'ils peuvent « dormir » leur purgation. Erreur. Le sommeil serait une libération, un répit. Dépendant du taux de sucre, ce processus peut durer de quelques heures jusqu'à trois jours. Et pour des jours, des semaines : cette irritabilité suivie d'une tristesse profonde comme la fosse de Mindanao. Les yeux hagards, la pensée courte, est-ce nuit ou jour ? La période de sobriété qui finit le processus arrive comme un baume sur une plaie purulente.

On sait qu'on a passé à travers quand on peut toucher ensemble pouce et index sans avoir l'impression d'une brûlure. On le sait aussi par la tristesse et l'envie de recommencer plus doucement, de ne pas se laisser avoir cette fois, de contrôler le sucre et non l'inverse. D'ambitieux pèlerins sur le chemin pavé de bonnes intentions planifient d'étranges sevrages. Il suffirait, selon eux, d'espacer les doses par un laps de temps croissant. Une dose à midi, une autre à 13 h, une autre à 15 h et une autre à 18 h. Grand bien leur fasse. Ma tentative engendre l'effet contraire : les doses se rapprochent. Midi, 13 h, 13 h 30, 13 h 40, *et cætera*, et puis zut.

C'est à ce stade que les *Nocturnes* de Chopin deviennent un passeport garanti pour le suicide. Il faut se tenir entouré.

•

J'ai, pendant mes nombreuses périodes de dégivrage, la chance inouïe de pouvoir me réfugier auprès de Minou et Moussette. À chaque refus de Maman ou de toute autre fournisseuse de me donner du sucre, ces braves bêtes sont toujours là pour m'accompagner tout au long de mes crises. Elles présentent l'immense avantage de ne pas parler. Si quiconque tente de me consoler en me lançant des paroles qu'ils croient être apaisantes : « Allons, tu peux t'en passer... » ou le fameux « Je sais que c'est difficile. » – Gnnn ! Tu n'en sais rien ! Moins que rien ! Si tu le sais, pourquoi n'es-tu pas toi aussi la proie de convulsions ? – Minou et Moussette sont une présence, une zoothérapie plus forte que la méthadone des héroïnomanes. Il m'arrive de saisir l'un d'entre eux et de le serrer contre moi. L'animal semble absorber toutes les mauvaises vibrations émanant de mon petit corps. Jamais les bêtes ne s'en plaignent, jamais elles ne me fuient, toujours elles reviennent. Une fidélité qui classerait Roméo et Juliette au rang d'amants volages. Mme Butterfly ? Une femme légère. Pénélope ? Une libertine. Minou et Moussette : la faune au secours de l'humain dépassé par ses créations chimiques.

Dans les périodes de sobriété, je souffre en silence, sachant très bien que tout nouvel abus me ramènerait droit vers l'enfer de l'hôpital, entre les griffes du Docteur et de ses marâtres. Ainsi, c'est devant un érable sur lequel est perché un chat que la Vérité m'apprend l'art de la contemplation en perfectionnant le langage. Plusieurs esprits hantés par quelque conflit ancestral me demanderont sur un ton curieux : « Quelle langue la Vérité parle-t-elle ? » Cette question ne me traverse même pas l'esprit, jusqu'au jour où ma mère me met sur la piste d'un problème plus grand que moi. Selon elle, il est des gens, à des kilomètres d'Amqui, qui ne nous comprendraient pas parce qu'ils parlent l'anglais. Cet énoncé me paraît pour le moins étrange. Je veux en apprendre plus de ma nymphe nue de la Matapédia.

– Maman parle anglais ?

– Non. Ton père, ta sœur, le Docteur, Solange et tous ceux qui vivent ici ne comprennent que le français.

– C'est quoi, l'anglais ?

– C'est une langue.

Je lui tire la mienne avec un regard interrogateur. À son habitude, elle ne rit point. Je crois d'ailleurs que c'est ce qui, chez elle, me plaît tant. Elle ne rit pas de mes questions comme Solange, Maman, Papa et Mme Roberge.

– Non. Une langue est une manière de parler, un ensemble de mots et de sons. Si vous parliez aux gens qui ne parlent pas le français, ils ne vous comprendraient pas.

– Ni Maman ?

– Je vous laisse compléter le raisonnement.

Je mettrai plusieurs années à me remettre de cette révélation. Il est donc, de par le monde, de pauvres êtres à qui il est impossible de comprendre Maman, Marie-Josée et moi-même. Sûrement Papa doit parler l'anglais, il est impossible que toute voix d'importance leur soit interdite. La Vérité maintient que rares étaient ceux qui nous comprendraient.

– Mais alors... Comment font-ils pour se comprendre ?

– Ils se comprennent entre eux, ils partagent la même langue.

– Ou la même malédiction !

– Il vous faudra apprendre à voir la chose autrement.

– Mais que leur est-il arrivé ?

– Il s'agit d'un état de choses auquel vous ne pouvez rien. Essayez plutôt de rester sobre pendant quelques semaines et ne vous en faites pas avec les malheurs des peuples étrangers.

– Si je comprends bien, il doit être impossible à ces pauvres aphones de se passer de sirop d'érable. Ils doivent en avoir rudement besoin pour surmonter la tristesse de ne pas parler français.

– La plupart n'ont pas de sirop d'érable et la grande majorité de l'humanité n'en a jamais vu. Ce manque n'est même pas pertinent pour eux.

Je reste bouche bée devant l'exposé froid qu'elle fait sur des souffrances aussi atroces. Comment peut-elle débiter de telles révélations sans fondre en larmes ? Pourquoi tant de douleurs ? Comment lui est-il possible de cracher, sans la moindre trace d'autocensure, des histoires aussi crues ? Je me dis qu'elle porte bien son nom et je me précipite en sanglots vers Maman en me bouchant les oreilles, telle une novice à qui l'on aurait raconté une plaisanterie trop grivoise. Les larmes me valent souvent un peu de sucre, une trace de glucose pour calmer mes états nerveux.

– Vous êtes d'une sensibilité dangereuse. Vous devrez vous faire à de bien pires vérités.

– J'en ai assez pour aujourd'hui. S'il vous plaît, puisque vous vous rendez compte de la fragilité de mes nerfs, épargnez-moi ce genre de révélation fracassante.

– Il faudra pourtant vous habituer à bien pire...

– Merci. Cela m'encourage!

– J'essaie de vous aider. Alors je reviendrai un autre jour, quand vous aurez digéré ces nouvelles.

Je décide, ce jour-là, que ma vie n'aura de sens qu'au jour où j'aurai réussi à consoler ces damnés de la terre de leur désespoir profond. Je serai prof de français.

•

La plupart du temps, je reste seul dans le jardin à chercher des vers, à sauter dans les feuilles et à courir après Moussette. À l'hiver, ma désintoxication est presque complète et je passe un carême très formateur: j'apprends à marcher dans la neige, à en fabriquer des projectiles que je jette à ma sœur, à perdre mes moufles dans les congères et à attacher mes bottes.

•

Un matin de février, nous trouvons Minou au sommet du désespoir et d'un poteau de bois. Il a dû essayer d'attraper quelconque oiseau et rester toute la nuit prisonnier de son perchoir. Il n'arrive plus à redescendre. La pauvre bête pousse des miaulements remplis de peur et de tristesse. C'est moi qui découvre la bête sur son perchoir au petit matin. Papa est déjà parti et Maman erre encore en robe de chambre. Je la tire du logis en lui donnant à peine le temps d'enfiler ses bottes. Cet incident donne à ma mère la possibilité de m'apprendre à quoi servent les pompiers. Ce sont des hommes qui, eux aussi, se baladent en uniforme, mais au lieu de poursuivre des voleurs, leur tâche consiste à aider les chats à redescendre des poteaux qu'ils ont trop témérairement escaladés. D'ailleurs, leur uniforme est fait d'une étoffe très épaisse parce que, au moment où ils attrapent le pauvre chat, ce dernier est dans un état de crise tel qu'il lui arrive de griffer son sauveteur. Le pompier se sert d'une grande échelle pour récupérer le matou. Maman en robe de chambre et moi supervisons le travail du pompier d'en bas. Il est sur le point vingt fois de se fracasser le crâne sur le sol glacé tant le poteau est glissant. Sa mission est digne d'une scène de *Mission impossible*. Son travail terminé, le pompier s'en retourne dans son grand camion rouge. Il doit y avoir, ce matin-là bien des chats téméraires pris au sommet d'un poteau à Amqui, car il décline l'invitation de ma mère à prendre un café. Dans le but de l'éduquer, je raconte à mon père la mésaventure du pauvre Minou et comment il fut sauvé. Je découvre qu'une rivalité ancestrale déchire les pompiers et les policiers. Dans un raisonnement associatif élémentaire, je me dis que tous les hommes en uniforme doivent nécessairement s'entendre. Mon père me démontre que ce n'est pas le cas.

– Tu as appelé les pompiers pour ça ? lance-t-il à ma mère, visiblement piqué.

– Mais que voulais-tu que je fasse ? Que je le laisse mourir de faim là-haut ?

– Tu aurais pu attendre que je revienne !

– Et tu serais monté là-haut avec quoi ? Maman a un argument de poids.

•

Je ne comprends pas les reproches de mon père. À chacun son métier et les chats seront rescapés ! Aux policiers, on laisse les voleurs et aux pompiers, les chats ! Une bonne affectation des ressources assurerait une certaine stabilité dans le monde du travail. Maman m'aide à développer une conscience syndicale exemplaire. Je n'exagère pas en affirmant qu'elle aurait été, pour Rosa Luxemburg, un exemple de solidarité prolétaire. Ma mère est pratique, mon père ne l'est pas. Elle a d'ailleurs des aptitudes bien supérieures à nous tous. Elle le prouve à maintes reprises; en particulier quand elle conduit la voiture. Elle ne perd pas de temps à attendre que les voitures ralentissent ou que le chauffeur, à l'autre coin de l'intersection, passe devant elle.

– Ôtez-vous!

L'imprécation arrête la circulation et nous laisse passer avant tout le monde. Ses tournants sont pour nous des joies courtes mais intenses. Elle tourne à 90 degrés, laissant ainsi la force centrifuge jouer avec nous sur la banquette arrière comme des chaussettes dans le lave-linge. Nous adorons sortir avec elle.

Quand le printemps arrive, ma dépendance au sucre est complètement sous contrôle. Maman a fait un travail digne d'un reportage et m'a remis sur le droit chemin. Les petites doses dont j'ai encore besoin pour vivre me viennent d'elle seulement. Mais je ne suis pas au bout de mes peines.

C'est au printemps de 1973 que je vis une rechute honteuse. La grande coupable est encore une fois ma sœur qui, elle, a continué en secret de courir les doses à droite et à gauche sans le dire à personne.

– Alors tu ne prends plus rien ?

– Presque.

– Un caramel, ça te tente ?

Un malheureux caramel ne peut pas me faire de mal. Je surestime ma force. Bientôt, j'en suis au même point qu'il y a un an, mais cette fois-ci, avec la honte de dépendre de ma sœur. Plus tard, il me semblera que j'aurais dû en vouloir à ma sœur et à ma mère. Cependant, tous vous le diront, les reproches ne servent à rien dans ce combat. Quand on pointe le doigt vers quelqu'un, on en pointe quatre sur soi-même. J'apprends que ma sœur a découvert une source de sucre encore plus généreuse que la roulotte de Solange.

•

Mme Roberge, notre voisine, a deux enfants qu'elle gave tous les jours de gâteaux et de gelées plus douces que le nectar de l'Olympe. Marie-Josée a sympathisé depuis longtemps avec les deux marmots et a réussi à entrer dans les grâces de leur généreuse mère. Je tombe donc, à l'âge de trois ans, dans une spirale sucrée, au centre de laquelle trône Mme Roberge. Il nous suffit de prétexter une visite chez les deux enfants de notre âge pour pénétrer dans l'antre de la nouvelle fournisseuse. Encore une fois, j'ai l'impression de faire faux bond à Maman dans ce dilemme éthique. Je commence à comprendre qu'elle contrôle mes absorptions de sucre pour mon bien, mais elle m'a initié à des plaisirs trop exquis pour que je puisse les abandonner. Or, si j'ai eu peu de scrupules à accepter les transactions de Solange, l'échange avec Mme Roberge se rapproche trop de mon entente avec Maman pour que je puisse y plonger tête première sans réfléchir. La chimie finit par l'emporter sur ces considérations. À la clarté de l'instrument d'échange de la roulotte, je sacrifie la liberté d'esprit.

Chez Mme Roberge, les choses prennent une facilité presque inquiétante. Il suffit de tenir compagnie à sa progéniture pour obtenir d'elle gâteaux et confitures.

– C'est un peu trop facile, Marie-Jo, je crois qu'elle voudra quelque chose de nous après.

– Ne t'en fais pas. Elle donne sans compter et elle ne mouchard à personne.

– Alors, si je comprends bien, elle ne veut pas de bouteilles ; nous ne sommes pas ses enfants, et elle nous donnera en secret toute la poudre blanche qu'on veut.

– À peu près. Ces enfants sont déjà accros à mort, mais il ne faut pas en parler.

Le marché se déroule comme ma grande sœur l'a prévu. Effectivement, la bonne dame nous gave de glucose à toutes nos visites, sans même que nous devions faire de subtiles allusions du genre: «j'ai faim» ou «vous êtes bien élégante aujourd'hui Mme Roberge». Il suffit de franchir la porte de sa maison pour que la bienfaitrice déballe la marchandise. Je persiste à craindre qu'elle nous lance un jour au visage une facture bien salée, couvrant toutes les doses non payées, et que Marie-Josée et moi devrions, pour le reste de nos jours, chercher assez de bouteilles pour la rembourser. Jamais on ne nous demande le moindre paiement. Cela est évidemment trop beau pour durer. Maman commence à s'interroger sur le nombre fréquent de nos visites chez la bonne dame, et un jour, la généreuse voisine commence à délirer.

– Votre maman m'a demandé de ne pas vous donner autant de sucreries.

Ainsi, elle a dû avouer la vérité.

– Pas de gâteau aujourd'hui?

– Je suis bien prête à vous en donner un petit morceau, mais les petits enfants devraient recevoir leurs sucreries de leur maman; moi, je ne suis que la voisine.

Mme Roberge restera une fournisseuse «en cas d'urgence», mais jamais, après cet échange, il ne me sera possible de lui soutirer de quoi satisfaire mon appétit. Cette situation illustre d'ailleurs un comportement typique de ceux qui donnent du sucre. Ils commencent par vous rendre dépendant de leurs douceurs, mais ils acceptent mal la concurrence. Ils créent un monstre à qui ils interdisent ensuite de se nourrir ailleurs. Je crois que les échanges avec Solange ont moins préoccupé Maman, justement parce que l'échange de bouteille semblait vouer cette relation à des buts purement mercantiles. Elle n'en éprouve aucun malaise et ne tient pas rigueur à la brave Solange. Le cas de Mme Roberge semble la préoccuper davantage. J'ai beau demander souvent à la Vérité de les gifler toutes les deux, elle refuse catégoriquement à chaque fois.

Assis avec elle sur le gazon, je l'implore de me venir en aide.

– Vous me demandez là l'impossible.

– Mais une simple intervention de votre part réglerait bien des choses.

– Vous vous rendez beaucoup trop dépendant de ces femmes. Il faut apprendre à trouver ailleurs ce qui vous fait défaut.

– Où donc ?

– Vous devez explorer. Sortir un peu.

– Je voudrais bien vous voir à ma place ; depuis la roulotte et les Anges, on nous garde ici comme des criminels dangereux.

– Vous me décevez. Je devrais vous envoyer ma sœur la Liberté pour vous faire la morale, mais elle est trop occupée à se fendre en quatre au Viêt-Nam.

– Ils parlent français au Viêt-Nam ?

– Vous êtes décourageant. Ma sœur ne se soucie pas de barrières linguistiques ; elle est demandée et comprise partout au monde.

– Que doit-on faire pour la rencontrer, cette voyageuse ?

– Sortir.

– Vous voulez dire retourner à la roulotte pour que Solange me dénonce encore une fois à Maman ? Cela sent l'hôpital à plein nez.

Pour toute réponse, elle pointe le bas de la ville de son menton et disparaît dans la nature.

•

Il existe, dans le monde de la psychothérapie, autant de stratégies et d'écoles qu'il y a de thérapeutes. Depuis Freud et Jung, des meutes d'âmes charitables, prêtes à aider en échange d'une simple BMW, s'arrachent les névrosés, les accros, les débiles profonds et les mélancoliques de ce monde, leur promettant des cures plus ou moins longues, selon la qualité de leur programme d'assurance ou de leur compte en banque. Mes écoles préférées sont celles où l'on décharge le patient de toute culpabilité dès le début de la thérapie, afin qu'il éprouve, à la fin de chaque rencontre dans le bureau feutré, un sentiment de légèreté soulageant. Je fuis les ennuyeux qui rappellent au patient qu'il est responsable de son malheur et que les autres ne sont que des accessoires. Ceux-là ne font pas vieux os, de Vienne à New York, et se recyclent habituellement dans les services de police ou dans la magistrature.

Or, ces gentils thérapeutes, s'ils avaient pu étudier mon cas, auraient tous montré du doigt ma grande sœur qui, dès que je semble reprendre le dessus, m'attrape par le pied pour m'emmener vers les profondeurs du vice. C'est encore une fois ce qui se passe. « Sortir », a-t-elle dit. Je n'ai que ce mot en tête. Encore faudrait-il, me dis-je, que je sois entré si je veux suivre la logique des raisonnements propres à la Vérité. Selon ma sœur, il faut d'abord sortir pour ensuite rentrer. Ce non-sens me donne le tournis.

– Il faut sortir.

– Tu veux aller où ?

– Je n'sais pas. T'es déjà sorti ?

– La roulotte, ça compte ?

– Peut-être.

– Sors-moi.

Marie-Josée semble perplexe. Moi qui, d'habitude résiste à ses tentations, je lui demande de me sortir. Le mot même me semble entouré d'un halo d'interdit. Elle réfléchit pendant quelques secondes et trouve, à son habitude, une solution qui va nous entraîner tous les deux dans une regrettable aventure. Comment se fait-il que de tous mes conseillers, ministres et éminences grises, j'ai choisi celle qui m'entraîne toujours plus près de ma perte ? Elle a réussi à concocter, en quelques secondes, un plan digne des Brigades rouges.

– D'accord, je te sors.

– On va où ?

– Tu ne te souviens pas ? Là où Papa nous a emmenés l'autre jour.

– Je jure que non.

À vrai dire, j'ai un vague souvenir de l'endroit, car on m'y a servi un cola sucré à souhait à l'âge d'un an.

– Tu étais trop petit.

Je ne vois pas ce à quoi elle réfère ; j'ai des souvenirs qui précèdent les siens. Il me semble un instant qu'elle va nous emmener vers une croisade pour trouver un illusoire Graal rempli à ras bord de pudding.

– On est allé avec Papa, ajoute-t-elle, surexcitée, c'est très simple, il suffit de marcher le long du boulevard et on y arrive après quelques minutes ; t'as qu'à me suivre !

Son plan est désarmant de simplicité. Mais comme deux amnésiques, nous avons oublié que cette distance, nous l'avions parcourue d'abord dans la Ford de mon père et pas à pied. Ce détail ne nous effleure pas l'esprit, pas plus que nous devions demander la permission à qui que ce soit avant de nous aventurer sur les trottoirs d'une route nationale, où passent des camions remplis de bois, de métaux et d'autres matières premières. Nous partons donc, prenant soin de dire au chat d'avertir Maman si nous ne revenons pas avant le souper. Il ne s'agit pas d'être imprudents !

•

La traversée du boulevard Saint-Benoît relègue les pérégrinations de Moïse à une promenade du dimanche. Le flot des voitures sur cette route est aussi dense que les cataractes du Niagara, mais pas assez bruyant pour effrayer deux gamins de trois et quatre ans. Nous décidons, à l'image des explorateurs qui découvrirent notre continent, de nous lancer tout simplement dans la circulation. Nous connaissons le mot « frein » et ses désinences verbales. Les automobilistes, eux, semblent partager cette connaissance. Le peuple d'Amqui célèbre notre première sortie à grands cris et coups de klaxon. Le cortège nuptial de Charles et Diana ne sera pas acclamé avec plus d'ardeur. On a cependant la décence de ne pas nous arrêter pour des autographes. Ce peuple sait vivre, quand même. On semble aussi respecter notre anonymat, puisque nous ne sommes plus importunés sur notre chemin. Marie-Josée se révèle avoir une mémoire et un sens de l'orientation hors du commun. Nous traversons le pont de la rivière

Matapédia sous le regard médusé de passants et d'automobilistes roulant à tombeau ouvert. Il m'arrive parfois de quitter le trottoir afin d'obtenir une meilleure vue sur le chemin qu'il nous reste encore à parcourir. Les chauffeurs de camion me saluent de râles de joie et font un grand détour afin de ne pas jeter sur nous de poussières. « Mon Dieu ! » hurlent-ils, me faisant rougir de fausse humilité. Je vais pieds nus dans ma couche-culotte la plus élégante, et Marie-Josée a revêtu ses vêtements d'apparat : une petite robe d'été bleue, ornée sur le devant d'une tulipe blanche. Nous déambulons ainsi d'un pas altier dans une ville que nous ne connaissons que de vue. Je dois dire qu'à ce moment, la Vérité m'apparaît comme une sage conseillère, bien que je ne comprenne pas comment cette expédition pourra aboutir à la découverte d'un nouveau fournisseur de sucre. Je m'en remets à la suprême autorité de ma grande sœur qui, en l'absence de la Vérité, fait office de gourou. Nous passons devant le poste de police, devant lequel flotte fièrement une feuille d'érable, signe que même notre père, récalcitrant au sucre, doit d'une manière ou d'une autre reconnaître sa supériorité.

Nous marchons pendant ce qui me semble des heures. Soudainement, Marie-Josée m'arrête pour m'indiquer que notre croisade a atteint son but. Tel Champolion devant ses premiers hiéroglyphes, nous nous tenons debout devant l'endroit, incapables de déchiffrer les écritures noires. Nous devons ancrer notre compréhension dans des signes extratextuels. Il ne peut s'agir que de cela. Nous entrons sans frapper, comme si l'endroit nous appartenait. L'intérieur du sanctuaire est presque désert. Une odeur de friture et de tomate nous agresse comme un vent salé. La porte a produit, en se refermant, le bruit cristallin d'une clochette. Une jolie jeune femme brune sort entre deux portes battantes et nous considère du même regard que Pénélope a dû réserver à Ulysse lorsqu'elle l'a reconnu. Son étonnement est facile à comprendre. Ma sœur, parée telle une princesse, et moi, vêtu de ma simple couche-culotte, devons, cet après-midi, lui flanquer la honte, car elle ne porte qu'un uniforme terne et taché. Ma sœur me guide sous son regard ahuri vers l'une des tables vides, telle une habituée de l'endroit. Elle consulte négligemment un carton que lui a tendu la gardienne des lieux, dont l'expression est passée de l'étonnement au sourire. Notre charme l'a donc conquise.

– Tu ne sais pas lire.

– Mais si !

– Ah oui ? Qu'est-ce que ça dit ?

– Pizza aux champignons ! Pepsi-Cola ! Pudding à la vanille !

Ma sœur a décidément choisi de me faire mourir de stupeur aujourd'hui. Non seulement elle connaît les meilleurs endroits de la ville sans jamais avoir quitté le plateau sans Maman, mais en plus, elle a appris à lire en secret. La vestale revient. Nous remarquons qu'elle porte sur les yeux une généreuse couche de bleu : nous sommes vraiment bien tombés.

– Qu'est-ce qu'on peut vous servir ?

– Pizza toute garnie pour moi et pudding à la vanille pour mon petit frère. Merci.

Derrière le comptoir de l'endroit, le reste des occupants nous lance des regards que je ne m'expliquerai jamais. Un ami, dont je tairai le nom, serveur dans un café de Paris, me racontera qu'un jour, Catherine Deneuve y est débarquée sans crier gare. J'imagine que le cuisinier et l'autre serveuse nous lancent des œillades similaires à celle que la star du cinéma français a dû se mériter ce jour-là. Les ordres de ma sœur sont promptement exécutés. Le pudding m'aide à me remettre de la fatigue de l'expédition.

– As-tu des bouteilles vides ?

– Non. Pour quoi faire ?

– Mais pour la payer, bon sang ! Elle ne nous connaît même pas ! Tu crois qu'elle va nous *donner* la pizza et le pudding ?

– Ne t'en fais pas. J'ai plus d'un tour dans mon sac.

Comme si elle nous avait entendus, la prêtresse, qui affiche maintenant un sourire presque inquiétant, revient à notre table. Elle nous tend une petite feuille de papier sur laquelle elle vient de griffonner quelque chose.

– Ça sera cinq dollars cinquante, mes chers amis.

Ce secteur de la ville a adopté une autre devise. Nous ne pouvons pas régler nos achats en bouteilles.

Problème.

Silence postnucléaire. Je laisse ma sœur négocier avec la pythie peinturlurée.

– Mais, Madame, on n'a même pas dix cents !

Rires agricoles et gras, émanant de toutes les bouches qui nous entourent maintenant. Nous prenons le parti de rire avec eux.

– Allons, comment vous appelez-vous, mes petits ?

– Eric et Marie-Josée.

– Merci bien !

Elle disparaît derrière le comptoir pour parler au manitou du sanctuaire. Ce dernier parle ensuite au téléphone pendant une demi-minute. Nous en sommes à analyser leur comportement bizarre et à mettre sur le dos du surmenage leurs questions impertinentes quand, à notre grande joie, nul autre que Papa franchit la porte du temple. Il se met lui aussi à rire comme un dément. Nous ne l'avons, je crois, jamais vu si heureux. Mais quel hasard ! Dans cette immense cité tentaculaire, il tombe sur nous dans ce lieu de culte au sucre ! Il doit être sur la piste d'un voleur, car il porte son uniforme, et une voiture de police est garée devant la porte. Il ne prend même pas le temps de commander et décide de nous raccompagner à la maison.

•

Pendant ce temps, à la maison, Maman s'est aperçue de notre absence. Elle et Mme Roberge nous ont cherchés partout. Des années plus tard, je ressentirai à peu près les mêmes sensations qu'elles, mais dans d'autres occasions. En cherchant par exemple à l'étranger mon passeport perdu, en ramassant les morceaux d'un vase de cristal sans prix, en attendant les résultats d'un test sanguin chez le médecin ou en pensant à la question de la responsabilité collective dans le génocide au Rwanda, bref, le genre de situation où l'on ne conjugue plus qu'au conditionnel passé.

•

Au restaurant, l'arrivée de mon père déclenche l'hilarité du cuistot et des serveuses. Ils fraternisent très vite, assez pour que Papa leur refile des petits papiers en signe d'amitié. Une balade en voiture de police nous attend. Je me dis qu'en ce moment, les Hell's Angels, les pompiers et la police sont les gens les plus utiles sur terre, et qu'il faudrait bien arranger une rencontre entre les trois pour leur permettre de créer des liens d'amitié. Mon karma se précise. Ma sœur me décourage de parler à Papa de mes projets de fête de la fraternité. Elle semble préoccupée. Moi, je suis heureux comme vingt papes en virée. Le sucre du pudding me tient dans un état de bonheur gaga. Nous retraversons Amqui avec Papa qui ne semble pas pouvoir s'arrêter de rire aux éclats. Ainsi, quand je verrai des pornographies où un quelconque moustachu en uniforme tente de prendre un air menaçant dans le but d'exciter l'audience, je resterai froid comme une petite sœur des pauvres.

Ça ne marchera pas. De la radio de la voiture, une musique rythmée fort agréable, que le sucre m'aide à apprécier, emplit l'espace. Je ne comprends pas un mot à ce qu'on y dit.

– Qui chante, Papa ? C'est toi ?

Nouveaux rires.

– Non, c'est les Bittèlzes. Ils chantent en anglais.

Il peut tout aussi bien me dire qu'il s'agit de Dieu le Père ou de saint François d'Assise. Visiblement, il me manque quelques références. J'entreprends d'écouter avec beaucoup d'attention la mélodie de ces pauvres âmes privées de sucre, qui doit être une ode à la tristesse.

L'accueil que nous recevons à la maison me laisse muet de surprise. Ma mère est étendue sur le sofa du salon, presque inconsciente, et une Mme Roberge éplorée tente de la réconforter.

– Les voilà, Mme Dupont! Ils sont là! C'est votre mari et vos petits!

Je n'oublierai jamais que j'apprends à cet instant qu'il est possible de glisser du chagrin le plus extrême à la furie divine. Le visage de Maman passe de la désolation polaire à l'éruption volcanique. Un mouvement accéléré mille fois de Brontë à Genêt.

– Mais où étiez-vous donc passés?

– On a mangé du pudding!

Je crois que cet aveu va me rapporter la bienveillance de la confession solennelle. Pas d'absolution, et encore moins d'indulgence de la part de la mère en furie. Le père, lui, rigole toujours en se tenant les côtes devant une Mme Roberge qui préfère quitter ce lieu de contradictions avant de devenir folle. Je ne sais que faire pour calmer le regard de Maman, qui me rappelle tout à coup le regard de Garde Sirois, diabolique. Je me dis que la Vérité aurait giflé tout ce beau monde et que tout serait rentré dans l'ordre. Mais elle n'apparaît pas. Je pense aux Bittèlzes de la radio qui m'ont rendu si heureux. Je me dis que ma tristesse égale la leur et qu'ils sont mon dernier espoir de communiquer avec ma mère, qui s'est mise à hurler de rage ; je me mets à chanter en anglais, la langue de la tristesse :

Love, love mi doux,
You no aille love you,
Al alouèse bi troue,
So pliiiiiiise ! Love mi doux !

Il y a des éclosions de talents qui passent inaperçues. Des dons divins qui restent pour toujours cachés parce que nul élément déclencheur ne les fait sortir en plein jour. Ce jour-là, je découvre que je possède le don des langues et de faire rire. Les sanglots de Maman s'arrêtent après un seul couplet de la pathétique mélopée d'Angleterre, et mon père achève de mourir dans d'ultimes spasmes de rires sur la chaise berçante. Il parvient à siffler un « Ils étaient chez *Boubou Pizza* ! » J'utiliserai ce don d'élection pendant le reste de mes jours. Je me rends aussi compte que l'anglais n'a absolument aucun sens. Si les cafardeux cafards n'arrivent pas à attrister ma mère, pourtant au bord de la crise de nerfs, et qu'ils chantent dans la langue des damnés qui ne comprennent ni français ni sirop d'érable, c'est que leur idiome doit contenir des failles profondes. En effet, elle est gagnée par un rire qui commence par des petits spasmes interrompant ses « N'allez plus jamais ! » et ses « Je vous croyais morts ! »

pour se transformer en saccades nasillardes et absolument assourdissantes. Il faudra que la Vérité m'éclaire sur cet anglais de plus en plus mystérieux. Cette heureuse scène de famille se termine par le départ de mon père, qui doit avoir quelque voleur à poursuivre, et par un festin de gâteaux au caramel. Maman a compris. Si elle veut que sa progéniture ne traîne pas les rues mal fréquentées d'Amqui en acceptant du sucre de la première venue, il faut qu'elle soit un peu plus généreuse. Chacun tire donc une leçon du précieux conseil que la Vérité m'avait donné. Je resterai éternellement reconnaissant à ma sœur de m'avoir entraîné dans cette fructueuse aventure et à mon père de m'avoir donné, avec sa radio de flic, ma première leçon d'anglais. Nous ne retournerons jamais chez *Boubou Pizza* ni seuls ni accompagnés. Je crois que Boubou fermera ses portes quelques années après notre visite. Mais dans ma mémoire, il restera toujours mon premier voyage, le début de la véritable odyssée de douceur qui me mènera du sirop d'érable d'Amqui aux tortes de la Haute-Autriche, en passant par la mélasse des Antilles. Le voyage vers la pizzeria contient aussi le germe de tous les déchirements que l'on vit dans les aéroports et les quais de gare ; il annonce, telle une prophétie, la douleur des départs et la plus grande douleur, celle des retours de celui qui revient parlant des langages incompris des siens. Je crois entendre ricaner la laide Vérité du fond de la rivière, à moins qu'il ne s'agisse d'un saumon rendant ses dernières bulles d'air avant de mourir sur le lieu de sa naissance, après un voyage dans l'Atlantique ?

•

À l'été 1973, j'obtiens tout le sucre que je veux de ma mère. Encore effrayée par la perspective d'une excursion clandestine dans Amqui, elle semble avoir pris le parti de me fournir pour me tenir loin de ce qu'elle considère dangereux : les serveuses de chez Boubou, le boulevard Saint-Benoît et les Hell's Angels. Je passe de nouveau des heures très heureuses dans notre jardin, à servir le thé à Minou et à initier Moussette à l'anglais. Notre toutou fait des progrès notables. Cependant, mes heures les plus agréables sont passées auprès de la Vérité qui persiste à n'apparaître qu'à moi. Sa nudité mettrait, selon ses dires, les adultes mal à l'aise.

– J'ai entendu parler de votre petite escapade. Félicitations. Vous avez failli tuer votre mère de chagrin.

– Je suivais vos conseils !

– Il ne faut pas se faire prendre, petit sot ! La prochaine fois, ne partez pas si longtemps. Et comprenez enfin que le sucre n'est pas tout dans la vie.

– Je ne vois pas comment quelqu'une qui vit nue dans une rivière à longueur d'année pourrait se permettre de me donner ce genre de conseil. Vous, vous ne sortez jamais ?

– Mes voyages sont finis. Je sais ce que je voulais savoir.

– Allez-vous m'épargner tous les dangers des grands boulevards et me trahir ce secret ?

– Il ne s'agit pas d'un secret. Il faut sortir et revenir. C'est tout. Le reste est philosophie. Vous apprendrez tout cela en temps et lieu.

– Vous n'êtes pas très explicite…

– Bon. D'accord. Eh bien, soit. Le voyage en soi ne compte pas. C'est là où vous allez qui compte.

– Ouf! Ça me rassure. Pas plus tard qu'hier, j'entendais Papa dire le contraire.

– Il apprendra lui aussi un jour. Moi, j'ai voyagé longtemps avant d'arriver ici.

– Vous êtes allée où ?

– À Paris, en Inde et en Estonie.

– C'était bien ?

– Extraordinaire. Mais trêve de papotages. Je voulais vous parler aujourd'hui d'un danger plus grand que le boulevard Saint-Benoît, enfin, si l'on est vous ; moi, rien ne peut m'atteindre.

J'ai reçu assez de sermons sur le boulevard Saint-Benoît pour comprendre que la Vérité ne badine pas. La comparaison n'est pas insignifiante. Un danger plus grand que le boulevard ? Maman a pourtant été claire : rien n'est plus dangereux pour moi que ces bolides roulant à toute allure sur la route. De quoi pouvait-il donc s'agir ?

– Votre voisine...

– Mme Roberge ?

– Non, pas celle d'en face. Celle-là est une alliée. Elle vous fournirait en sucre même après la mort de votre mère, même si je n'approuve pas trop. Je parle de la voisine d'à côté, Mme Loignon. Il faut que je vous montre...

Elle m'amène en direction d'une maison qui, malgré sa proximité, n'a jamais été l'objet de mon attention. Elle doit produire de bien mauvaises vibrations pour avoir échappé à mes recherches frénétiques pendant mes crises de manque de sucre de l'été précédent. Je dois en effet me rendre compte que cette maison est un vortex du mal, la tanière de la Bête : Mme Loignon.

La propriété des Loignon est séparée de notre jardin par un garage sur pilotis et une haie touffue de saules. Moussette et Minou y pénètrent parfois sans que je trouve le courage de les y suivre. Et pour cause ; ce que la Vérité me montre ce jour-là est digne d'un drame d'épouvante. Derrière la haie, sous le soleil cru du Canada, s'étend à perte de vue ce qu'elle m'explique être un potager. Des rangées très droites de végétaux bas et de hauteur identique ont manifestement été plantées là par un esprit maléfique.

– Mais qu'est-ce ?

– Des légumes ; tout près de nous, vous apercevez les navets, ensuite viennent les pommes de terre, les carottes, et tout au fond, sous ces grandes tiges vertes, se cachent des oignons bien ronds.

•

Autant de descriptions, autant de monstres, autant de cris. Une scène d'un excellent film d'horreur transcende à merveille ce que je ressens à ce moment précis. Seule la science-fiction a le pouvoir de filtrer le dégoût intense qui me fera toujours frémir. Dans *Aliens* (suite de *Alien*), l'héroïne du film, Ripley, est renvoyée presque de force sur la planète où, dans le premier film, son équipage a fait la malencontreuse découverte de créatures horribles, munies de deux séries de mâchoires qui tuent à vue et sont d'humeur généralement déplaisante. Ces parasites d'outre-espace ont un cycle de reproduction épouvantable de complexité. Une reine pond des œufs de la taille d'une citrouille dans un endroit chaud. Ensuite, ces œufs attendent le passage d'un humain pour éclore et laisser échapper une pieuvre jaunâtre, qui s'attache au visage de la victime pour déposer un fœtus meurtrier dans sa cage thoracique. Après une période de gestation, ce fœtus s'échappe violemment de la poitrine de la malheureuse victime, la tuant du même coup après des convulsions atroces. Le procédé génial fera la fortune des producteurs de cette œuvre inquiétante. Or, dans la suite du premier film, Ripley découvre avec horreur la reine pondant ses œufs assassins et leur donne un traitement au lance-flammes. La scène est poignante, la reine hurle de douleur à voir sa progéniture calcinée. On pourrait ici débattre des motifs profonds derrière les actions de Ripley. Je néglige de dire que les sales bêtes ont au préalable décimé son équipage et qu'elle tente d'empêcher que les bestioles ne tombent entre les mains de militaires mal intentionnés. On ne saurait être trop prudent.

Ripley savait, en retournant sur la planète maudite, à peu près ce qui l'attendait. Mais dans mon bucolique éden canadien, je suis à mille lieues de me douter qu'à moins de vingt mètres, l'origine de tout mal pousse impunément. Des images de purées et de gardes marchant au pas d'oie défilent devant mes yeux. Ils viennent donc de là. Est-il possible que tant de mal puisse croître sur MON plateau, dans MA ville, presque sous MON nez ? Brillante manigance. Ainsi, l'alpha de la souffrance me guette depuis ma naissance. À côté de chez moi s'approvisionne le Docteur de son sombre hôpital. Le malin est toujours plus près qu'on ne l'imagine, c'est classique. Le meurtrier est toujours un proche de la victime ; voilà une vérité digne de Poirot (Pfouah ! Je crois que l'ignoble légume pousse aussi dans ce champ de poisons...) La Vérité s'est défilée. Une fois encore, elle me laisse devant un dilemme. Il se trouve qu'à mon âge, je n'ai pas encore vu *Aliens*, et même si cette chance m'était donnée, où dénicherais-je le lance-flammes salvateur ? Je rentre chez moi la mort dans l'âme. Le secours me vient encore une fois de Marie-Josée.

•

– Les légumes viennent de chez la voisine.

– Quoi ?

Marie-Josée est visiblement ébranlée par cette révélation massue. Il faut dire que, de nous deux et des enfants Roberge, il est difficile de dire lequel déteste la purée de légumes avec le plus d'ardeur.

– Il y en a à perte de vue. Des navets, des pommes de terre, des carottes et... et des oignons !

Ces derniers, avec leur texture gluante une fois cuits, nous donnent des frissons d'horreur à leur seule mention. Nous sommes persuadés que les oignons cuits se transforment en vers par un procédé de sublimation inexplicable. Nous décidons d'appeler les enfants Roberge à notre rescousse. Après tout, ils ont intérêt comme nous à régler le problème. Il faut les impliquer ; le nombre de légumes est définitivement trop grand pour nous seuls. Il est conclu que les adultes doivent être laissés en dehors de l'histoire, surtout cette autre voisine d'en face, Nelly Labelle, une moucharde notoire que nous soupçonnons d'espionnage pour le compte de Mme Loignon. Un plan digne du FBI est élaboré. Comme Ripley, nous visons l'anéantissement total et complet du potager. Notre raisonnement est simple, mais les plus grandes victoires militaires furent remportées grâce à des idées désarmantes de simplicité. La reddition du Japon ne s'obtint qu'après l'annihilation d'Hiroshima et de Nagasaki, Paris fut conquise en faisant simplement le tour par la Belgique, l'Allemagne fut vaincue en ouvrant tout bêtement contre elle deux fronts simultanés, preuve que la stratégie militaire ne relève pas des philosophes et des mathématiciens. Si c'était le cas, le nombre de guerres humaines se compterait sur les doigts d'une seule main. Je viens, je vois, je vaincs, et entre-temps, j'anéantis. Nous sommes confiants que, les légumes une fois disparus, un principe élémentaire d'économie allait se mettre en branle. Le raisonnement est le suivant : l'offre de légumes étant réduite à zéro, les producteurs devront se tourner vers des substituts acceptables, soit le sucre d'érable et les puddings. Le marketing fera le reste et les préférences des consommateurs réorienteront rapidement les marchés. Ne craignons-nous pas une flambée des prix engendrée par une brusque augmentation de la demande de sucre ? C'est possible, mais le marché réglera rapidement ce problème passager : le pays est couvert d'érables.

Nous profitons d'un soir où nos parents sont sortis pour passer à l'attaque. La distraite Valérie a repris du service et il ne nous en faut pas plus pour appeler les troupes à l'exécution du plan. Il s'agit de se cacher sous le garage aux pilotis et de profiter de la pénombre pour déraciner les maléfiques végétaux. Huit mains ne seront pas assez pour finir le travail en une seule sortie, et plusieurs raids s'avéreront nécessaires pour anéantir toutes les cultures, mais il ne s'agit pas de se décourager avant d'avoir commencé. La perfide Loignon ne s'aperçoit de rien. Les légumes, une fois arrachés, sont empilés en des tas puants sous le garage, laissés à pourrir là. Je m'acharne avec une hargne particulière sur les malheureux oignons, tandis que ma sœur et nos deux acolytes se chargent respectivement des navets et des carottes. Les pommes de terre nous posent un problème particulier. En effet, une fois les feuilles arrachées, les tubercules ne suivent pas ; ils restent sournoisement sous terre comme un virus mutant qui aurait appris à se terrer dans de nouvelles profondeurs devant l'assaut des médicaments. Nous devons remettre à plus tard leur destruction. Plusieurs jours passent, pendant lesquels nous grugeons lentement ce jardin maléfique. Les écuries d'Augias ne furent pas nettoyées avec plus de volonté et d'ardeur.

•

Un soir que nous prévoyons continuer notre œuvre de destruction, la petite Nelly Labelle, voisine des Roberge, s'aventure en silence sous le garage et découvre notre plan démoniaque. Nous n'avions pas prévu être découverts de cette manière. Nous avions pourtant pris bien garde d'attaquer au moment où la mère Loignon rentrait chez elle après avoir arrosé son potager.

– Vous faites quoi ?

– Mêle-toi de ce qui te regarde.

– Je vais le dire !

– On te tuera !

La traîtresse disparaît avant que nous ayons eu le temps de la soudoyer avec quelques friandises. Nous apprendrons plus tard de sa mère qu'elle était folle des légumes. On ne se méfie jamais assez.

Il faut achever le travail avant que Nelly ne sonne l'alarme. Dans un geste kamikaze, nous nous élançons dans le potager, arrachant à droite et à gauche tout ce qui nous tombe sous la main, quand, telle une louve à qui l'on a volé ses petits, la mère Loignon apparaît dans son jardin, accompagnée de Nelly Labelle, qui nous montre lâchement du doigt. Pris en flagrant délit de « délégumisation », nous nous réfugions sous le garage. Le reste relève du tribunal de Nuremberg. La découverte, l'appel à l'aide de la mégère, l'alerte donnée à mon père, la prise du garage et la découverte de nos tas de légumes en état avancé de putréfaction. Le châtiment sera légendaire. Aucun refrain des Bittèlzes ne calme la colère générale. Je ne comprends plus rien. Séquestrations et interdits, sermons et privations marquent la fin de cet été 1973. L'échec de notre plan est d'autant plus difficile à avaler qu'il faut aider la mère Loignon à récolter ses affreux légumes maintenant mûrs. Elle fait également cadeau de tonnes de carottes et de navets à mon père. J'apprends un nouveau sentiment d'anticipation, voisin du bonheur, que l'on appelle le désir de vengeance. Je jure en effet que la Labelle ne s'en tirera pas aussi facilement et qu'elle sera châtiée. Nous jurons tous les quatre que nous n'aurons de repos tant qu'elle n'aura pas payé cher sa trahison.

6

La petite garce vit dans la maison adjacente à celle des Roberge, en haut d'un escalier en fer très abrupt. L'hiver, on a vu souvent la mère de Nelly mettre du sel sur les marches afin d'éviter que sa petite famille ne se casse le cou en descendant vers la cour. La vengeance est un plat qui se mange froid. À Amqui, il est possible, en patientant quelques mois, de le déguster congelé.

Les tas de légumes sont plus ou moins évacués de sous le garage par Papa. Mais comme il est trop grand pour se glisser dans le petit espace sombre, il a fait un travail très rapide et a laissé derrière lui quelques oignons bien juteux. En octobre, à l'époque des premiers frimas, quand la Vérité m'apparaît avec la peau légèrement bleutée par le froid, je décide de me venger au nom de tous les miens. Très tôt un matin, je précède tout ce qui vit sur le plateau et je récupère l'un des oignons en décomposition du dessous du garage qui nous a servi de bunker. Une fois brisée en deux, la sphère blanchâtre laisse s'échapper des vers, seules créatures dignes d'un pareil habitat. La suite n'est pas pour les cœurs sensibles.

À pas feutrés, j'escalade l'escalier des Labelle et je laisse sur une marche l'oignon de mes cauchemars. Je redescends, caché derrière un érable fulgurant de couleurs d'automne, chez les Roberge. J'attends dans le froid du matin. Il se passe un bon moment et je crois un moment que mon plan est trop simple ; la mère Labelle sortira et verra le bulbe pourri, mais il y a un dieu pour les accros.

Nelly est la première à émerger du logis. À son habitude, elle s'élance dans l'escalier pour commencer sa journée de délateur. Qui est aujourd'hui dans sa mire ? Peu m'importe. Mon stratagème, aussi méchant qu'efficace, lui fera passer le goût de s'attaquer à nous pour toujours. Son pied glisse sur la pourriture dans un bruit collant. Ses cris déchirent le matin à mesure que son petit corps frappe les marches de métal. Son squelette maigre de végétarienne émet des craquements secs qui réchauffent mon âme dans ce froid matin d'octobre. Cric ! Fémur droit ! Que cela te serve de leçon, petite ennuyeuse ! Crac ! Cubitus gauche ! Il t'en faudra encore bien plus ! Cric ! Radius droit ! Comment feras-tu maintenant pour montrer du doigt ? Crac ! Quatre côtes levées, quatre ! Atterrissage à la Hindenberg sur le béton glacial. Cris de douleur.

Lorsqu'elle touche le sol, le voisinage en entier est éveillé. De partout, on accourt pour porter secours à la garce. Je regarde la scène de dessous mon érable. La mère éplorée qui tente de saisir la gamine hurlant de douleur, les « Mais d'où sort cet oignon ? », Mme Roberge se prenant la tête à deux mains, les enfants Roberge morts de rire sur leur balcon. Tout est mon œuvre. Soudain, le ciel vient confirmer la sainteté de mon entreprise. D'épais flocons de neige viennent commencer l'hiver 1973-1974 au moment où les ambulanciers roulent la civière portant la traîtresse. La première neige vient sanctifier ce matin de vengeance d'une mince couverture blanche. Je me découvre derrière le tronc de l'érable pour que Nelly me voie, pour qu'elle attrape, avant de partir pour quelques semaines vers l'hôpital, l'image de mon visage heureux essayant d'avaler les flocons de neige, que je prends encore pour de doux cadeaux givrés du ciel d'Amqui. Quand elle me voit, elle cesse de crier, étrangement libérée de connaître l'origine de ses douleurs. Elle sait que la prochaine fois lui sera fatale. La vengeance est complète. Nelly a droit à un séjour prolongé à l'hôpital, aux bons soins du Docteur et de ses Gardes. Longtemps les soupçons planeront sur ma personne à cause de cet oignon pourri, évidence éloquente qui porte ma signature. On laisse planer le doute, craignant probablement l'apparition scandaleuse de la Vérité.

À la fin, je gagne de cette aventure de nouvelles fournisseuses : la mère Labelle et la mère Loignon, par peur ou par pitié, avaient commencé à m'offrir des sucreries. Est-ce si difficile de comprendre ? Si elle tient à habiter le plateau, elle doit se soumettre à certaines règles. Pas question de tolérer de tels écarts de comportements.

7

À partir de ce moment, les choses s'éclaircissent dans mon jeune esprit déjà dévasté par les ravages du sucre. Toute cette adversité, tous ces efforts déployés en vain pour limiter mon accès à la substance divine ne confirment qu'une chose : le sucre est une raison de vivre, une fin en soi, et c'est à cette fin que je consacrerai le reste de mon existence. Les événements qui suivront ce constat concourront à renforcer mon opiniâtreté. D'abord l'arrivée d'un nouveau personnage dans mon microcosme confirme ma vocation d'ennemi du président Nixon et annonce l'opération « glucose 74 », qui précipitera la chute des voleurs de sucres. Ensuite, mes qualités d'intrigant transforment la population entière d'Amqui en une armée invincible pour la domination totale et absolue du sucre dans le monde. La chute de Nelly dans l'escalier fait surgir dans notre existence ce nouveau personnage dont je ne devrai comprendre l'influence que beaucoup plus tard dans ma vie. Quand la petite démone a atterri dans un bruit mat au bas de l'escalier, un homme grassouillet et chauve est sorti du rez-de-chaussée de la maison Labelle pour porter secours à la diablesse. Je ne l'ai jamais vu. J'interroge la Vérité à son sujet.

– C'est qui le chauve ?

– Un célibataire.

– C'est quoi un célibataire ?

– Il n'a personne à qui il peut donner le sucre qu'il a.

– Cela m'ouvre des perspectives.

– Gare à vous ! On s'en méfie dans le quartier.

– Pourquoi ?

– Absolument aucune raison. Par simple mesquinerie et par envie. Il fabrique de beaux cerfs-volants que les enfants adorent.

– Je peux en avoir un ?

– Il faut d'abord l'amadouer, s'en faire un ami, et en passant, ce n'est pas en brisant les os de ses voisines que l'on s'en fait, des amis.

– C'est le résultat qui compte. La petite ne moucharde plus quand la voisine nous donne des bonbons et elle m'évite. Je gagne sur tous les plans.

– Mmm... J'ai une amie du nom de Morale... enfin, une connaissance, je veux dire, je me demande ce qu'elle en dirait ?

•

Mais je ne l'écoute déjà plus, j'ai déjà le célibataire en tête. Comment se fait-il, dans cette rue qui ne manquait pourtant pas de marmaille, qu'un adulte ait du mal à se défaire de son sucre ? Je cherche à en faire un projet d'hiver. Je sais maintenant me chausser seul et m'habiller pour braver les vents froids de l'extérieur. D'ici à l'été, je me fixe comme objectif de faire du chauve un nouveau fournisseur. Un matin, je me dirige directement chez lui. Chance inouïe, il est à pelleter la neige fraîchement tombée de son balcon. Je me plante derrière lui afin de bien jauger l'énigmatique personnage. Il feint longtemps de ne pas remarquer ma présence. Je commence une petite crise de manque, je crois. Je sens mon cœur battre plus vite et je transpire malgré le froid mordant. Je dois briser la glace.

– Il fait froid.

– Bonjour, petit. Comment t'appelles-tu ?

– Eric.

– Tu es le fils du policier ?

– Oui. Comment vous appelez-vous ?

– Adrien, sans *H*.

L'absence de hache me rassure immédiatement. Je n'ai pas affaire à un meurtrier.

– Qu'est-ce que je peux faire pour toi ?

– Je peux voir vos cerfs-volants ?

La question le rend perplexe.

– Ce n'est plus vraiment la saison des cerfs-volants. Mais si tu veux les voir, il faut entrer chez moi, et si je te laisse entrer chez moi, tes parents vont me chercher noise.

– Pourquoi ? Êtes-vous un voleur ?

Il n'est décidément pas doué pour les interrogatoires.

– Non.

– Alors, je ne vois pas le problème. Je veux tout simplement voir vos cerfs-volants.

– Alors, si tu promets de ne pas le dire à qui que ce soit, entre !

Adrien m'invite donc dans son antre. Je regrette immédiatement le serment que je lui ai fait, car ce que j'y découvre est digne des plus grands musées d'Europe. Il vit seul dans un grand appartement rempli de couleurs vives, où pendent sur tous les murs des tableaux représentant des champs de plantes inconnues, des betteraves, des cartes d'îles tropicales et autres images étranges. Il est conservateur du Musée du sucre.

– C'est quoi tous ces dessins ?

– Des champs de cannes à sucre.

– Canne ?

– Le sucre vient de la canne à sucre. Tu ne le savais pas ?

– Et où sont ces cannes ?

– Dans le Sud, dans les Antilles, à Cuba, en Jamaïque, ça ne pousse pas ici.

– Alors, le sucre...

– Eh oui, il vient du Sud.

Je suis assommé. Comment se peut-il qu'on m'ait caché un détail aussi important ? Je suis né dans le mauvais pays. Toute mon existence ne tient qu'à la culture de ces longues plantes tropicales. Adrien m'explique l'histoire du sucre. À l'en croire, le sucre a fait l'objet de guerres, de déportations de peuples entiers, de colonisations et de massacres. Il insiste sur des noms d'endroits à sonorité étranges : Caraïbes, Amérique, Égypte et Nouveau Monde.

– Et les betteraves ? Qu'est-ce qu'elles ont à voir là-dedans ?

Je m'étonne qu'une racine terreuse du rang de la patate trouve sa place dans cette collection divine.

– Les Allemands ont été les premiers à découvrir que l'on pouvait produire du sucre à partir de la betterave. Il n'y a pas de différence entre ce sucre-là et le sucre que nous mangeons.

– Les Allemands sont des génies.

– Euh... Pour la chimie, effectivement. Mais ne te détrompe pas ; l'histoire du sucre n'est pas une histoire pour cœurs sensibles. La propagation de la canne à sucre vers les Antilles a ouvert l'un des chapitres les plus sombres de l'histoire coloniale : la traite des esclaves. Les bateaux qui apportaient le sucre en Europe repartaient vers le

Nouveau Monde chargés d'esclaves africains enlevés de force.

– Comment les Européens pouvaient-ils manger un produit pareillement couvert de sang?

Cette question m'apparaît très pertinente à ce moment-là.

– Ils en ont toujours été fous. Déjà, au Moyen Âge, on le recommandait contre la peur, la colère et la mauvaise humeur.

Contre la peur, la colère et la mauvaise humeur. Ce que j'avais cru découvrir à Amqui, les Européens le pratiquaient déjà depuis des siècles. Contre la peur, la colère et la mauvaise humeur: le sucre.

– Il faudrait que je te raconte l'histoire du chocolat, du café et des diamants... Viens plutôt voir mes cerfs-volants.

En plus des tableaux sur l'histoire du sucre, quelques cerfs-volants pendent du plafond de son appartement, qui couvre tout le rez-de-chaussée. Certains sont assez primitifs, en forme de losange, d'autres représentent des chats, des dragons, des insectes. Sur la table basse de son salon trône un récipient de cristal rempli de jujubes de toutes les couleurs. Je meurs d'envie de lui en demander quelques-uns, mais je ne sais pas ce qu'il exigera de moi en échange. Je le laisse exposer les règles de notre marché. Il ne me fait pas attendre trop longtemps. Il me mène par la main vers la cave. Je tremble d'appréhension. Il se met à parler avec volubilité de toutes sortes de choses, de ses bricolages surtout. Il me montre son établi, ses outils et les œuvres en construction. L'une, entre autres, attire mon attention. Ce génie de l'aérodynamique a entrepris de représenter la Vérité sur un cerf-volant. Le sait-elle ? Comment l'a-t-il connue ?

– Mais c'est la Vérité ! Comme vous l'avez réussie !

– Merci.

Le compliment me vaut deux jujubes. Ensuite, je n'ai plus qu'à l'écouter pour me mériter l'accès à ce qui me semble être une réserve sans fond de sucreries. Il a dû les accumuler pendant longtemps. Il parle, parle et parle. Je le regarde avec de grands yeux. Quand je suis repu, il m'invite à partir, avant que ma mère ne me cherche, et me rappelle solennellement mon vœu de silence. Ce silence me sera longtemps pénible, mais je dois admettre que la perspective de perdre un fournisseur aussi facile m'aide à me tenir coi. Avec lui, il suffit d'écouter et de poser des questions. Chose qui me vient avec une grande aisance.

Je retourne au moins deux fois par semaine chez Adrien, qui commence à varier son inventaire de sucreries juste pour moi. À chaque visite, j'en apprends un peu plus sur les cerfs-volants. Il me montre des photographies de modèles qu'il a vendus à prix d'or. Cependant, à chaque fois que je rentre chez moi, après avoir menti sur le lieu de ma sortie, je me sens comme insatisfait. Je trouve ce vœu de silence lourd à porter. C'est comme si on avait forcé Marco Polo à taire les merveilles qu'il avait vues en Asie sous peine de mort. Ma dépendance au sucre d'Adrien me dicte le silence, tandis que l'émerveillement de tout ce que j'ai vu et entendu chez lui exige une audience. La Vérité ne me visite presque plus depuis l'« accident » de Nelly, et je me sens effroyablement seul. Pourquoi en est-il ainsi dans la vie, que les délices les plus doux doivent être tenus secrets sous peine de se les faire enlever ?

Adrien, en plus de ses cerfs-volants et de ses innombrables chocolats et sucreries, possède la collection complète des Bittèlzes. Il m'apprend d'abord qu'ils sont au nombre de quatre, puis la signification française de leurs chansons. À mon grand étonnement, leurs rimes n'exaltent pas la tristesse, mais des sujets incongrus comme des semaines qui durent huit jours, des sous-marins jaunes, des forêts norvégiennes et que sais-je encore. Plus près de la démence que du suicide.

Ce n'est pas tout, il fait souvent appel à mes services dans la construction de ses cerfs-volants. Je deviens apprenti conseiller artistique, l'aidant tantôt à rendre la Vérité plus ressemblante, tantôt à choisir les couleurs d'un poisson volant qu'il fait en commande pour une riche dame d'Amqui. Parfois, j'en oublie presque les sucreries. Lui, me les rappelle toujours. Contrairement à toutes les autres fournisseuses du passé, il me les propose ; je n'ai pas à les quémander. Cet éden dure au moins trois mois. Enfin, cela dure le temps de la convalescence de Nelly Labelle. À l'hiver de 1974, je vis ma première envie authentique d'étrangler à mains nues.

•

Je n'ai jamais été doué pour le silence. Je déblatère contre tout. Avec moi dans les services secrets d'Allende, les tortionnaires de Pinochet auraient eu la vie facile. Je mettrai des années à comprendre qu'il y a des choses qui se disent et d'autres qu'il vaut mieux taire, et encore plus longtemps à classifier ce que je sais dans ces deux catégories. Mes visites chez Adrien deviennent une exception. Je fais un effort conscient pour ne pas en parler devant quiconque. Plusieurs raisons justifient cette autocensure. Primo, il ne faut pas glisser mot de l'existence de ce nouveau fournisseur aux autres enfants, incluant ma propre sœur, de crainte de voir les réserves de sucre s'épuiser trop vite. Je deviens radin avec l'âge. Secundo, les autres fournisseuses ne doivent pas apprendre l'existence de cette nouvelle concurrence, dans le simple but d'éviter des rivalités destructrices et la formation d'un oligopole collusoire qui causerait une inflation des prix. Tertio, je n'en parle pas à Minou ni à Moussette pour la simple et bonne raison que mon nouvel ami m'a avoué, à sa grande honte, souffrir d'allergies violentes à mes deux fidèles bêtes.

•

Nelly Labelle a écopé d'une peine d'hôpital à faire pâlir d'envie n'importe quel procureur américain. Elle réapparaît dans les parages autour de Noël. Une fois encore, la proximité entre le bien et le mal se présente à moi comme un rapprochement illogique mais nécessaire. Décembre a apporté chez tous les fournisseurs, Maman, Mme Roberge, Mme Loignon, Mme Labelle et d'autres voisines, une abondance jamais vue. Le sucre coule à flots sur le plateau, et ce n'est même plus la peine de faire des réserves pour les jours creux. Dans toutes les maisons, on a érigé des monuments au sucre, que l'on a décorés de boules brillantes, de petits anges, d'étoiles et de guirlandes. Il suffit, comme au jardin d'Éden, de s'étirer la main pour cueillir sur les branches des conifères un chocolat, un massepain. C'est à qui produira le plus de biscuits, de gâteaux aux fruits et de marmelades. À l'apogée de cette période comparable aux années folles, il y a le Woodstock du sucre : Noël. On m'explique que ce jour marque la naissance de Jésus, le Christ, notre Sauveur, qu'il a été conçu du Saint-Esprit, est né de la Vierge Marie, a souffert sous Ponce Pilate, et a fondé une bande probablement comparable aux *Ailzes* pour répandre la bonne nouvelle. La célébration de son anniversaire, bien que légèrement répétitive, sert de prétexte à tous pour fermer les yeux sur une surconsommation de sucre. Adrien ne se dérobe pas à ces rites et il a le plus beau sapin de Noël de toute la rue Saint-Louis. Mettant à profit ses talents de fabricant de cerfs-volants, il a fabriqué un arbre effrayant de beauté. Je semble être le seul enfant privilégié à avoir le droit de m'en approcher. Mon émerveillement devant sa création le remplit de bonheur.

Un jour que je rentre de l'une de mes visites secrètes chez Adrien, je veux impressionner ma famille avec les nouvelles connaissances qu'il m'a apprises.

– Aujourd'hui, de 50 à 60 pour cent de tous les aliments fabriqués industriellement contiennent du sucre, qu'ils en aient la saveur ou pas. Le sucre est indissociable de notre alimentation.

– Mais d'où sors-tu ça ?

– Euh... De la radio ; ils en parlaient ce matin. Et plus le sucre est devenu pur, plus l'homme en a mangé.

– Ça, tu nous l'as bien prouvé.

– On a besoin d'une tonne de cannes à sucre pour faire 300 livres de sucre.

Pour impressionner mon père, je disparais dans ma chambre pendant quelques instants pour en ressortir avec ma version d'une canne à sucre au crayon de cire vert.

– Et tu as entendu ça à la radio aussi ?

– Euh... Non, j'ai vu ça à la télévision ! (Le mensonge me vient aujourd'hui aussi naturellement...) Faire avaler à mon père une émission spéciale à la radio sur le sucre est une chose. Espérer que tous les réseaux ont déclaré une semaine nationale du sucre en est une autre. Un détail m'a échappé : nous n'avons pas la télévision. Ce n'est qu'une semaine plus tard qu'elle sera installée dans le salon, à la demande de ma mère qui s'ennuie à mourir. La première image transmise est celle du président Nixon en gros plan.

– Pourquoi est-il si laid ?

– Chut !

Devant moi se dresse l'antithèse de la Vérité. J'ai un frisson.

Or, la petite voisine fracturée a reçu son congé de l'hôpital quelques jours avant Noël. Le fragile petit paquet d'os s'est lentement ressoudé, mais une cruelle amygdalite a donné un prétexte au Docteur pour la séquestrer encore plus longtemps dans son camp. Elle rentre donc chez elle allégée de deux glandes et alourdie de plâtres divers autour de ses membres. Elle parvient quand même à déambuler du haut en bas de son escalier de métal malgré les interdictions de sa mère. Comme mue par un instinct inné d'espionne, elle me surprend en train d'entrer chez le fauve, en quête d'un chocolat en forme de clochette. Je ne suis pas chez mon fournisseur depuis cinq minutes que la misérable petite traîtresse a le front de frapper trois petits coups secs à sa porte. Adrien, à mon grand dam, l'accueille comme une reine. Elle me regarde du coin de l'œil en dégustant un massepain vert et me lance une salutation chargée de doubles et de triples sens que je suis le seul à comprendre. « Bonjour » est devenu dans sa bouche : « Je te tiens, petit salaud ! » Des crampes d'appréhension me broient les intestins. Ce qui doit arriver arrive. Le petit microbe fait part à sa mère de ma présence chez Adrien ; cette dernière en parle à Mme Roberge qui, elle, sans savoir qu'elle détient de l'information classifiée, crache le morceau à ma mère. Nelly Labelle, que je croyais avoir anéantie, est revenue, telle la créature d'*Alien*, plus forte et plus désagréable que jamais. Plus rien ne me permet de douter qu'elle incarne le mal sur cette terre, mais je me demanderai toujours pourquoi et comment cette triste délation a dû avoir lieu autour de Noël, fête sacrée du sucre.

Mauvais karma ? Destinée pourrie ? Tout cela sentait fort le légume.

D'autres mystères entourant l'incident d'Adrien ne me seront jamais expliqués. Je mourrai dans l'ignorance de ce qui s'est véritablement passé. Premièrement, il m'apparaît clair que ma mère ne joue pas franc jeu. Il y a eu, dans le passé, d'autres fournisseuses, Solange, Mme Roberge, les serveuses de *Boubou Pizza,* et bien d'autres qui m'échappent. Mais à la nouvelle que je m'approvisionne auprès d'un fournisseur, Maman devient livide. En temps normal, elle n'en aurait pas glissé mot à mon père et m'aurait tout simplement rappelé à la fidélité. Cette fois, il y a un conciliabule, des visites en uniforme chez Adrien et des questionnements à la Miss Marple.

– Depuis quand tu vas là ? (De quoi je me mêle ?)

– Pourquoi ne nous as-tu pas avertis ? (Pour éviter ce genre de crise d'hystérie justement...)

– Qu'est-ce qu'il t'a fait ? (Beaucoup de bien.) Suis-je maladroit quand j'avoue :

– Il est très gentil, il m'a montré son cerf-volant et ses outils. En échange, il me donne des chocolats.

La Vérité n'aurait pas mieux réussi à les faire taire. Il régnera longtemps un silence de morgue dans l'appartement, entrecoupé de jurons et de sanglots mal retenus. Un tribunal est prestement improvisé, auquel tous, sauf la Vérité, sont invités à témoigner. Le réquisitoire accorde autant d'importance à mon témoignage qu'aux dires d'un clochard. Fait intéressant, le principal inculpé, mon fournisseur au crâne chauve, n'est jamais interpellé. C'est comme si, à Nuremberg, on s'était contenté d'entendre les victimes sans tenter de corroborer leurs accusations aux réponses des nazis. Ce cas est légèrement différent dans la mesure où le crime commis ne figure pas dans le code criminel. La putride et puante Nelly Labelle, bringuebalant sur son dernier plâtre, est même invitée à donner sa version des faits.

– Mais elle y va elle-même !

Je tente de l'incriminer ; il n'est pas question que je descende seul aux enfers. Quitte à avouer mon presque meurtre d'octobre, je suis prêt à l'entraîner dans cette sombre histoire. Mais la justice ne daigne pas ajuster sa balance dans cette histoire. Personne ne voit, dans le fait que Nelly s'approvisionne elle aussi chez Adrien, quoi que ce soit de répréhensible. Elle qui a toujours feint la pureté, qui a avalé en silence ses légumes infects, s'empiffre chez son voisin, et c'est moi qui écope. Je dois recommencer à me faire à un dosage réduit de sucre. Une fois encore, les tremblements, les nerfs en boule ; je ne trouve de support que dans la chaleur de Minou et de Moussette. Je suis plus que mûr pour une franche discussion avec la Vérité. Avant même que ma sentence ne soit prononcée, je m'assieds dans la cour à attendre sa visite.

– Qu'est-ce que c'est que ce cirque ? Pourquoi tant de clameurs, de questions ?

– Vous avez transgressé mille interdits à la fois. On ne peut vraiment pas vous faire confiance. Vous devenez un danger pour tous ceux qui vous approchent. Je commence moi-même à craindre pour ma sécurité.

– Vous ? Ce serait bien le comble ! Vous n'apparaissez que pour me critiquer ou m'entraîner à faire des bêtises. Je ne veux plus vous voir. Allez conseiller Nelly, si je ne suis pas un digne disciple de votre école de pensée !

La Vérité ne bronche pas. Elle est habituée, me dit-elle, à se faire éconduire par tout le monde. Elle est d'ailleurs fort surprise que notre relation ait duré si longtemps. À vrai dire, je commence à trouver sa nudité un tantinet vulgaire. Sa manie, aussi, de me critiquer après l'excursion chez Boubou, le saccage du potager, mes visites chez le chauve, me laisse pantois. Ne m'a-t-elle pas plus ou moins clairement entraîné dans chacune de ces aventures ? Ne s'est-elle pas constituée plus souvent qu'à son tour le serpent de mon paradis terrestre ? Jusque-là, elle a été une bien piètre conseillère. J'aurais mieux fait de n'écouter que mes bas instincts et de poursuivre ma petite vie sans la laisser intervenir. Je commence à la trouver laide.

– Et d'ailleurs, tu fais peur à voir.

– D'autres révélations-chocs ?

Ce qui arrive par la suite marque ce que tout psychanalyste freudien cherche souvent en vain chez ses patientes, c'est-à-dire le moment précis du choc. Le traumatisme initial. La Vérité, dans toute sa laideur, élève au-dessus de sa tête son martinet ruisselant et m'assène, sur le côté gauche du visage, un coup que je ressentirai encore quand je verrai la peinture de Gérôme.

– Là-dessus, je vous laisse. Réfléchissez.

Il n'y a pas à réfléchir. La douleur me transperce la peau jusqu'à l'os. Ce sont mes cris qui font accourir ma mère dans le jardin enneigé.

– Mais qu'est-ce que tu as ?

– La Vérité m'a fait mal !

J'aurais beau lui dire : « Ô rage ! Ô désespoir ! Ô vieillesse ennemie ! N'ai-je donc tant vécu que pour cette infamie ? » Elle me donnerait le même sourire.

Maman avait mis ce raisonnement inepte sur le dos d'un choc nerveux ramassé chez le chauve. Elle m'entraîne à l'intérieur.

•

Noël se passe, puis février revient. Comme à son habitude, Nelly Labelle, à ce que les enfants Roberge me disent, rend visite à Adrien tous les jours. L'injustice bée donc de toutes parts, elle suinte en coulisses jaunâtres sur nos murs. La Vérité ne revient plus me voir, Marie-Josée est complètement sevrée du sucre et je reste seul, collé comme un navet oublié au fond d'une marmite de solitude. Comment est-ce possible, que certains réussissent à se défaire de leurs dépendances en pensant tout simplement à autre chose, alors que d'autres, comme moi, semblent condamnés à une vie de torture ? Je n'en aurai jamais la réponse. Je connaîtrai des gens qui, à un moment de leur vie, se trouveront réduits à l'état de loques humaines après avoir abusé de cannabis, de poudres immondes, de chimies hollandaises ou de sport. Certains réussiront à se dépêtrer de leurs fanges en se disant un beau matin : « C'est assez ! » Ils reprendront une existence normale en se jetant corps et âme dans un boulot abrutissant ou deviendront fonctionnaires pour le gouvernement fédéral. D'autres suivront des cures de désintoxication plus ou moins longues, dépendant de leurs moyens ou des moyens de leur État providence. On n'écrira pas le guide de désintoxication du sucre. Je l'attendrai toujours.

Marie-Josée, par exemple, a rebroussé chemin avant d'avoir atteint le point de non-retour. De mon côté, je m'entête à trouver de nouveaux fournisseurs au risque de sacrifier Maman, la Vérité et ce qui me reste de temps en paradis. Je tente, pendant cet hiver, de suivre ma sœur. Si elle a trouvé la paix sans le sucre, je dois pouvoir y arriver aussi. Il me faut donc encore une fois m'en remettre à elle.

8

– Vous célébrerez bientôt votre quatrième anniversaire.

C'est la Vérité. Je ne l'ai pas vue depuis notre dernière brouille. Je suis en extase de la voir après une si longue absence.

– Où étiez-vous ? Je vous ai cherchée partout !

– Vous et le reste du monde. J'ai pris des petites vacances sous la glace. Je préfère espacer mes visites, cela ne me rend que plus désirable.

– Vous n'avez pas changé.

– Vous, si. Je ne sais pas si j'approuve ces changements. Vous avez maigri. Si vous aviez quelques années de plus, je dirais que vous vivez un chagrin... Enfin, cela viendra bien assez vite.

– Je ne prends presque plus de sucre. J'ai réduit mes fournisseurs à Maman et encore. Vous comprenez, après l'incident chez...

Cette chose est nouvelle. Quand j'essaie de prononcer le nom du chauve et que la trahison de Nelly me passe fugitivement par l'esprit, ma gorge se serre et ne laisse plus passer un son. Cet étouffement est généralement suivi par des larmes et une étrange envie d'être seul, moi qui suis si sociable. Cette fois-là, la Vérité me serre doucement contre elle et je sens l'agréable fraîcheur de sa peau sur ma joue, qui me rappelle la douceur glacée de l'écorce des érables en hiver. De ses longs cheveux, elle sèche mes larmes et pour la première fois, j'ai l'impression que le ton de sa voix s'est adouci. Elle qui, d'habitude, lâche chaque parole comme un coup de hache, elle fait un effort conscient, je crois, pour parler plus doucement. Elle m'apparaît encore une fois comme celle à qui je veux poser des milliers de questions.

– Ai-je volé quelque chose ?

– Non.

– Alors pourquoi étaient-ils tous si fâchés quand ils ont su que je prenais des biscuits chez le chauve ?

– Vous ne le croiriez pas.

– Je voudrais bien comprendre !

– Lui aussi. De toute façon, il faut regarder aujourd'hui vers l'avant. C'est d'ailleurs la principale raison de ma visite.

– Quoi maintenant ? Vous allez me dire de tuer ma sœur ? De foutre le feu à la maison ?

– Ce que j'ai à vous annoncer est un peu délicat.

Quand la Vérité commence une nouvelle de cette manière, il vaut mieux se terrer. Un peu comme si l'Etna se mettait à trembler en disant : « Tiens, je crois que je vais avoir des petits gaz ce soir... » De quoi anéantir la quiétude des Siciliens. La Vérité a l'habitude de gifler sans avertir, de frapper sans être détectée sur les radars et là, elle annonce un coup. Je m'attends au pire.

– Vous allez déménager.

– Pardon ?

– Dé-mé-na-ger, cela signifie quitter Amqui. Partir ailleurs.

Elle pourrait aussi bien m'annoncer que Minou et Moussette se sont mis au bridge ! Je me mets à explorer les différentes possibilités de ce déménagement. Elle a bien sûr pris soin de ne dévoiler que ce qui fait le plus mal. Déménager. Dans ma première fantaisie, le plateau entier, incluant maisons, voisins, chats, amis, ennemis, chauves, famille, Roberge et chevelus, sera localisé dans un nouveau lieu qui a l'audace de porter un autre nom. Ensuite, mon imagination élabore des scénarios de plus en plus atroces. Le déménagement n'inclut que ma maison et le jardin, avec le chat et le chien. Cette perspective me cloue d'horreur. En effet, si mon état présent ne me permet d'obtenir de sucre que de ma mère, qu'adviendra-t-il dans ce nouvel endroit ? Je m'imagine une seconde, mais une seconde seulement, car mon jeune esprit est incapable de supporter l'idée plus longtemps, que ce nouvel endroit sera peuplé de gens qui ne parlent que l'anglais. Je me vois déambulant dans une foule de *Bittèlzes* aux longs cheveux, cherchant à me faire comprendre dans une crise de manque de sucre. Qu'allions-nous devenir? Une autre possibilité, celle-là absolument absurde, me vient à l'esprit. Nous allons partir seulement moi, Marie-Josée, Papa et Maman, sans le chat et le chien, n'emportant avec nous que la Ford verte. À mon insu, je fantasme comme un prisonnier de guerre. Il s'agit de m'imaginer la situation la plus incongrue, la plus invraisemblable, pour ne pas être déçu, quelle que soit l'issue véritable.

Une fois l'abomination acceptée et presque digérée, j'ai le réflexe très humain de chercher un coupable. Qui est responsable de ce grand dérangement?

– Pourquoi?

– Vos parents en ont décidé ainsi.

– Sans me consulter?

– Comme ils font la plupart des choses... Bon, je tenais seulement à vous mettre en garde. Sachez partir.

– Que voulez-vous dire? C'est pour quand?

– Je crois qu'ils ont décidé de partir en août.

– Et ils attendent quoi pour nous le dire?

– Ils craignent votre réaction.

Craindre ma réaction? Est-il possible que j'inspire un jour la peur? On m'a donc craint à une certaine époque. Plus tard, on ne me ménagera plus jamais de cette façon. C'est ainsi que l'enfance est un âge d'or. On vous craint, on vous ménage, on enfile des gants blancs. Ensuite, les choses se gâtent. Le respect que l'on me portera sera inversement proportionnel à mon âge. Ainsi, la même annonce de déménagement, des décennies plus tard, me sera servie par ma mère sans la moindre préparation psychologique. Elle la lancera tout simplement entre deux potins téléphoniques : « On déménage. » J'imagine que dans dix autres années, elle négligera de m'en informer et que je m'en rendrai compte en essayant de lui rendre une visite-surprise et que je me rendrai compte que son appartement a été envahi par de purs étrangers. Cette certitude que l'âge n'apporte que mépris et négligence, je l'acquiers à trois ans. Je frémis à l'idée de ces vieillards à qui l'on ne doit plus dire grand-chose et qui doivent être traités comme des meubles. « On va te mettre là, Pépé, comme ça, tu pourras voir dehors... » Le troisième âge ne m'inspirera, pour encore longtemps, que la certitude de ne plus compter pour rien ni personne.

J'attends donc l'annonce officielle du déménagement et j'ai décidé de m'en servir comme d'une arme pour obtenir plus de sucre. La nouvelle tarde à venir. Je décide de forcer Maman à accoucher.

– Maman, qu'est-ce que ça veut dire déménager ? La subtilité n'a jamais été un talent chez moi.

– Qui te l'a dit ?

– Je ne sais pas. C'est quoi déménager ? J'attends d'elle une définition qui confirme mes plus optimistes appréhensions, celles où la moitié de la ville nous suivra dans notre exode.

– C'est changer de maison, de ville.

– De maison ? Sommes-nous donc des errants ?

– Oui. Puisque tu as l'air de le savoir, nous déménageons en août.

– Avec qui ? dis-je sur un ton effaré.

– Comment ça, avec qui ? Toi, moi, Marie-Josée et Papa, c'est tout.

Là, je me mets à trembler. Que marmonnes-tu donc, misérable Pythie ? Quelle prêtresse traduira tes horribles borborygmes en information cohérente ? Tenterais-tu de me dire que le reste va sans dire ? Ou est-ce bien là ton intention de me dire que tu m'arracheras à ce plateau bénit pour partir vers des contrées maudites ? Sais-tu au moins ce que tu me fais ?

– Je ne veux pas.

Rire condescendant.

– Je n'irai pas. Pourquoi faut-il partir ? Qu'avons-nous fait ?

– Mais rien, ton père a été muté.

Muté. Ce terme accompagnera toute mon enfance comme une malédiction. Le triste métier de mon père ne l'oblige pas seulement à courir après les voleurs, il le force aussi à changer de ville, une fois que les voleurs de la première ville sont tous attrapés. On nous refera le coup je ne sais combien de fois plus tard. Entre l'âge d'un an et de seize ans, je déménagerai pas moins de dix fois. Cela signifie une moyenne de 1,2 année par maison. Notre séjour rue Saint-Louis doit donc rester, toutes proportions gardées, éternel. Après les mutations de Papa, il y aura toutes sortes de raisons qui nous jetteront, ma sœur et moi, d'une demeure à l'autre, et nous apprenons rapidement à ne plus poser de questions à l'approche d'un déménagement. En fait, nous sommes devenus experts en déménagements en peu de temps. Certains enfants sont astreints au piano, au ballet, à la gymnastique ou à d'autres disciplines dès leur plus jeune âge. Nous sommes entraînés à déménager. À l'âge de seize ans, nous serons tous les deux maîtres en déménagement, docteurs ès adieux, virtuoses de l'adaptation à un nouveau milieu. Peu de gens peuvent en dire autant. Mais l'annonce du premier déménagement a sur moi l'effet que l'annonce de la déportation des Acadiens produisit dans la baie Sainte-Marie en 1755.

– Pourquoi les voisins ne viennent pas avec nous ?

– Bien, parce qu'ils restent ici !

– Et le chat ? Et le chien ?

– On verra.

– Pourquoi Papa est muté ? Il n'y a plus de voleurs ?

– Voilà, c'est ça ; il faut attraper des voleurs ailleurs.

– S'il n'y a plus de voleurs à Amqui, pourquoi n'est-il jamais à la maison ?

Silence lourd et compact.

– On te fera une fête en juin pour ton anniversaire. Tu pourras dire au revoir à tout le monde.

Je m'imagine un repas du genre de la dernière Cène. Ce déménagement me donne des crampes d'appréhension. On m'embarque vers l'inconnu et cette dernière fête sera pour moi la dernière occasion de ramasser assez de sucre pour le voyage, de réunir toutes mes fournisseuses en un même endroit pour leur extraire de quoi survivre.

9

Juin arrive donc avec ses lilas, ses vents chauds et mon dernier anniversaire à Amqui avant de partir pour ailleurs. Je n'ai même pas demandé où nous allons. Cela m'est égal. Les gens à l'agonie sur leurs lits d'hôpital demandent-ils aux médecins où ils vont ? Le soldat sur le quai de la gare d'un film de guerre est-il informé de sa destination finale ? Le but de notre périple ne peut être intéressant. Il ne peut s'agir que d'un sous-lieu, d'un endroit sans sucre, rempli de larmes. Dans le désert, quand on se tient au milieu d'une oasis verdoyante, chaque direction montrée du doigt mène vers le désert de sable meurtrier parsemé de squelettes de chameaux et de voyageurs téméraires. Un matin, pourtant, j'obtiendrai quelques éclaircissements sur le but de notre périple.

•

Certains matins nous appartiennent à moi et à ma sœur. L'une de nos activités préférées est de hanter la cuisine pendant que mes parents dorment encore et de chercher quelques friandises dans les armoires. Ma sœur, grimpée sur le comptoir je ne sais par quelle astuce de singe, me bombarde de ce qu'elle trouve. Il lui arrive parfois de m'arroser de n'importe quelle poudre blanche qu'elle trouve. Ainsi, un matin, ma mère me trouve assis dans la cuisine, recouvert de la tête aux pieds de farine blanche, que Marie-Josée avait probablement prise pour du sucre à glacer. Amusée par la scène, elle avait fait une photographie du bombardement. Cette photographie existera longtemps. Quand on la regardera, on devinera la joie dans le visage de celle qui croyait avoir déniché la poudre de perlimpinpin et la déception sur mon visage après avoir goûté à l'immonde substance qui se prenait pour du sucre. Certains accros savent qu'ils se sont fait avoir après la première ligne de cocaïne. La photographie montre le visage prémonitoire de cette déception.

Or, ce matin de juin, nous investissons le jardin au lieu de hanter la cuisine. Nos parents nous croient encore dans notre chambre et parlent à voix très haute, assez pour qu'on les entende dans le jardin à travers la fenêtre ouverte de la cuisine.

– Alors, c'est sûr ? On retourne à Rivière-du-Loup ? Tu as eu ton poste ?

– On dirait.

– Comment ça, on dirait ? C'est oui on non ?

– Oui, oui, on s'en va. Tu peux le dire aux enfants.

– Ils le savent déjà.

– Comment ça ?

– Tu les connais, pas moyen de leur cacher la vérité. La semaine dernière encore, ils m'ont posé des questions là-dessus.

– Bon, de toute façon, il faudra bien qu'ils s'habituent.

– Moi, ça fait mon affaire.

– J'comprends donc, que ça fait ton affaire ! C'est toi qui m'as forcé à demander une mutation.

– Écoute, si tu ne me sors pas d'ici, je partirai.

– Fâche-toi pas, tout sera fini en août.

– Si elle nous suit là-bas, ça va barder.

– Elle restera ici.

Ils ont donc scellé le sort de la chienne. Je savais que sa nature insouciante allait un jour la perdre. Elle n'allait donc pas nous suivre. Elle a dû une fois de trop japper en pleine nuit, faire un tas dans un coin ou répéter un autre comportement désagréable qui l'aura perdue. Mais je me doutais de cet ignoble abandon depuis l'entretien que j'ai eu avec Maman. Je ne suis donc pas sous l'effet du choc. Ma sœur, elle, est pétrifiée par la terreur. Cette conversation l'a transformée en statue de sel. Comme moi, le nom « Rivière-du-Loup » ne lui a pas plu du tout. Nous allons donc être arrachés à notre paradis terrestre pour affronter des loups ? Pas étonnant que l'on prenne le soin de laisser derrière nous chat et chien. Le loup n'en ferait qu'une bouchée. Mais nous ? Que va-t-il advenir de nous dans cette aventure ? Se trouvera-t-il en ces lieux des protecteurs contre ce loup si grand qu'on a baptisé une rivière en son nom ? Des larmes coulent.

– Marie-Josée, arrête d'agacer ton frère !

Incompréhension habituelle.

10

L'atmosphère est lourde dans notre petite famille. Papa s'absente de plus en plus souvent, histoire d'attraper les derniers voleurs qui s'incrustent dans Amqui avant de partir, et Maman se jette corps et âme dans la préparation de mon quatrième anniversaire. Ma sœur et moi avons des conversations qui prennent l'allure de confessions de condamnés à mort. J'amorce toujours ces échanges par une question remplie d'angoisse.

– Tu crois que le loup va nous manger dès notre arrivée ?

– Tu le juges un peu vite. Il est peut-être végétarien.

– Mais s'il a de mauvais antécédents ?

– Alors, alors il vaut mieux profiter de la vie maintenant.

– Ce qui veut dire ?

– Oublie tes bonnes résolutions, bouffe tout le sucre que tu trouveras.

•

C'est pendant l'une de ces interrogations morbides que la mort de Moussette nous est annoncée. On nous apprend sans ménagement qu'un camion en folie l'a aplatie pendant qu'elle traversait la rue Saint-Louis. Mon premier deuil. Je passe par toutes les étapes de l'acceptation du décès de la pauvre bête et j'exige, comme les familles des victimes d'un écrasement d'avion, d'être mené sur les lieux de la tragédie. Étrangement, aucune trace de l'écrabouillage du canin chéri n'est visible. Tout cela est suspect. Nous n'avons entendu ni crissements de freins ni lamentations. Quand la chose s'est-elle donc passée ? Papa et Maman offrent des versions contradictoires du massacre. L'un nous apprend que le camion était rouge, l'autre, qu'il était noir. J'ai une envie folle de voir surgir la Vérité de sa rivière pour jeter un peu de lumière sur cette sombre histoire. Les voisins paraissent d'abord ignorer l'incident, pour, quelques jours plus tard, corroborer les faits racontés par Maman. Moussette n'est plus. Je me rends compte que Maman se lasse vite des questions que nous lui posons et je suis laissé avec un mystère. Pourquoi, me demanderai-je toujours, les grands mystères de l'enfance restent-ils toujours ceux que l'on veut à tout prix éclaircir ? Quelques années plus tard, je comparerai la disparition de la chienne avec celle de John F. Kennedy ou d'Elvis Presley. Ces deux dernières disparitions me laisseront de marbre, mais ces trois disparus sont à l'origine des théories de la conspiration les plus élaborées qui soient. Était-ce possible que Moussette, à l'insu de tous, se soit enfuie après avoir entendu la nouvelle du déménagement et qu'elle erre quelque part dans Amqui à la recherche d'un nouveau logis ? Ou encore, a-t-elle été la victime d'une Nelly Labelle assoiffée de vengeance ? L'a-t-elle jetée dans les égouts ? Je me perds en conjectures. Je suis certain que le récit de mes parents est un tissu de mensonges et qu'un jour, la brave chienne réapparaîtra pour confondre tout le monde. Comme les *fans* d'Elvis, je serai toujours et encore dans l'attente. Même lorsqu'elle aura 30 ans.

La disparition de la chienne, peu importe ses circonstances exactes, ne peut qu'exacerber notre hantise du loup. Soit on l'a sacrifiée pour lui éviter une mort plus douloureuse entre les dents du cervier, soit elle a refusé ce sombre destin de son propre chef. À bout d'explications, Maman nous sert une fabulation digne d'être racontée.

– Où elle est donc, Moussette ?

Soupir d'exaspération.

– Elle est avec le petit Jésus.

– Le même Jésus que nous fêtons à Noël ?

– Oui, oui, le petit Jésus, il vit au ciel avec Dieu.

– Dieu qui ?

– Dieu... Euh... Dieu, Dieu !

– Il n’a pas de nom de famille ?

– Non !

– Comme Dalida ?

– C’est ça.

– C’est qui, Jésus ?

– Il est le fils de Dieu. Il est descendu sur terre pour sauver les hommes. Il porte une barbe.

– Comme les Ailzes ?

– Mais non...

– Il sauve aussi les chiennes ?

– Oui, c’est pour ça qu’il a pris Moussette.

– Est-ce qu’il l’a volée ?

– Non ! Non !

– Parce que s’il l’a volée, Papa va le rattraper, c’est sûr !

– Je t’en prie, va jouer avec ta sœur.

Maman me glisse un gâteau et m’expédie dehors. Elle est triste ces jours-ci. La disparition de Moussette doit la tirailler elle aussi. Il court donc, dans cette ville, un voleur qui « sauve » hommes et chiennes, et sur lequel mon père n’a pas encore mis le grappin. Cela ne saura tarder. Deux ans plus tard, j’apprendrai par les miracles de l’audiovisuel que Jésus n’est pas du tout petit, mais véritablement barbu. Sa barbe, cependant, ne sera pas du tout comme celles des Hell’s Angels, ronde et fournie. Il la soignait très mal, et l’on aurait plutôt dit un amas de poils hirsutes et sûrement infestés de poux. Il déambulait nu-pieds – chose absolument interdite pour nous à cause d'évidentes raisons climatiques – dans des contrées chaudes et sèches, suivi d'une foule bruyante qui exigeait de lui des miracles. Son image confirme mes doutes. Il a véritablement l'air d'un voleur de chiennes. Il restera longtemps le suspect numéro un dans la disparition de Moussette. J'espère qu'il repassera et emmènera avec lui Nelly Labelle, le Docteur et Mme Loignon vers le ciel.

11

Juin. Merveilleux mois de juin à Amqui, baigné dans la douce lumière du solstice de l'été nordique. Ce mois apporte toujours sa part de sucreries, comme le temps des sucres et décembre. Maman s'est assurée que notre passage à Amqui ne passerait pas inaperçu. Dans le but de cette conversion, elle a créé mon anniversaire. La fête consiste à gagner chaque année plus d'adeptes au sucre. Comme les sorcières celtes, elle a choisi une date coïncidant avec le solstice d'été pour souligner la supériorité cosmique du glucose et de ses bienfaits sur l'être. Le rituel ne peut se passer d'un énorme gâteau que l'on sacrifie pour le distribuer à tous les convives, jeunes et vieux, qui répéteront l'exercice une fois rentrés chez eux. Notre dernière Cène à Amqui regroupe les fournisseuses les plus importantes du plateau. Mme Roberge, Mme Loignon, Solange, leurs époux respectifs, leur marmaille, et l'on a même déclaré un armistice pour permettre à la petite Labelle de prendre part à la célébration. De nouvelles fournisseuses sont aussi initiées. Je crois que c'est grâce aux efforts de Maman que Nixon finit par perdre la guerre contre un ennemi qu'il a mal jaugé. La communion du sucre gagne en popularité puisque, autour de l'immense table aménagée dans le jardin, il est question d'autres anniversaires copiés sur le modèle de notre célébration. Ainsi, Mme Roberge fera la même chose pour ses enfants après notre départ, invitant de nouvelles voisines qui finiront par rendre la pratique universelle. Je suis certain que même le Docteur a dû succomber à ces nouvelles pratiques sans même s'en rendre compte. L'épicentre de ce séisme sucré, c'est Maman : la Jeanne d'Arc du glucose.

Mon quatrième anniversaire prend des allures de carnaval à Rio. Même sous la torture, il me serait impossible de donner la liste de tous les invités. Ce qui reste certain, c'est que chacun d'entre eux rentrera à la maison et perpétuera pour ses proches ce dont il a été témoin dans notre jardin. Ce jour mémorable restera à jamais mon souvenir le plus doux et le plus vivant de ce combat contre les forces antisucres. Maman gagnait du terrain à toute vitesse. Celui qui brille par son absence lors de cette célébration est mon père, ce que je trouve fort dommage, car le pompier, lui, est venu faire son tour et m'a même offert un camion de pompier miniature tout rouge.

– Le camion vient de Mme Roberge, lance Maman d'une voix hésitante. La voisine lui lance un clin d'œil complice.

– Mais non ! C'est le pompier qui l'a apporté, je l'ai vu !

À cet instant, ma mère me prend à l'écart et je ne sais si ce sont ses paroles ou le fait qu'elle ait interrompu la dégustation du gâteau sacré qui me laisse le plus perplexe.

– Le pompier, il n'est jamais venu ; le camion, il vient de Mme Roberge. OK ?

À travers les saules, je vois la Vérité se tenir la tête à deux mains. Pour la première fois, je choisis de détourner mon regard d'elle pour me concentrer sur ce que les autres veulent voir.

– Compris.

La Vérité me boude jusqu'à l'arrivée de la voiture bleue.

•

Quelques jours après mon anniversaire, je traîne dans le jardin avec les enfants Roberge et ma sœur quand des clameurs nous parviennent de l'intérieur de la maison. Quelqu'un s'oppose vivement à quelqu'un d'autre. Des cris, des larmes, bref, un bordel indescriptible. Je crois un instant que le loup, incapable d'attendre notre arrivée, a décidé d'attaquer sur le plateau. Ma sœur et moi rentrons un instant pour prendre des nouvelles. Dans leur chambre, mes parents jouent à un jeu inconnu. Mon père remplit une valise de vêtements ouverte sur le lit, tandis que ma mère la vide à mesure. Le manège continue dans des mouvements de plus en plus échevelés. Il semble interdit de parler pendant ce jeu. Le gagnant doit être celui qui arrive à fermer la valise complètement vide ou pleine à craquer. Mon père prend de l'avance, mais Maman trouve un moyen infaillible : dès que la valise est à moitié remplie, elle la retourne à l'envers pour en faire tomber le contenu. Cette manœuvre est-elle permise ? Est-ce tricher ? Ma sœur suit le match avec de grands yeux. Je m'imagine que plus tard, nous essaierons aussi, dans notre chambre, ce nouveau jeu de vitesse et d'adresse.

– À quoi ils jouent ?

– Je ne sais pas.

Maman m'apparaît pour la première fois comme une mauvaise perdante. En effet, Papa ayant réussi à remplir et à fermer la valise, elle se jette sur le lit en frappant dans les oreillers de ses deux poings. Mais la partie n'est pas finie ; il s'agit de remplir une seconde valise encore plus grande. Tout y passe : chaussettes, pantalons, uniformes de police, képi, chaussures, chemises, camisoles, etc., dans un désordre infini. Je me dis que si le chauve avait pu participer à ce sport déroutant, il aurait probablement pris soin de plier minutieusement tout ce qu'il mettait dans la valise. Cette manie de la perfection que l'on voyait bien dans ses cerfs-volants aurait probablement assuré une victoire facile à Maman. Mon père, grand habitué de la course, avait l'avantage de la vitesse. Je ne saurai jamais comment Papa remportera le match de la valise ; Mario Josée m'entraîne dehors avant. Là, je m'informe auprès des autres enfants sur le nom de cette nouvelle discipline.

– Qu'est-ce qu'ils font ?

– Ils divorcent, répond un commentateur.

– Ça va durer longtemps ?

– Non, le temps de sortir, c'est tout.

– Pourquoi ils divorcent ?

– Ils ne s'aiment plus.

La réponse de l'expert me plonge dans la perplexité. Aimer ? Qu'est-ce donc ? Et s'ils ne s'aiment plus, cela veut probablement dire qu'ils se sont aimés avant, peu importe ce que cela impliquait. Je me demande si je pourrais jouer au jeu de la valise sans avoir aimé moi-même. Le mot me semble faible, il manque de consonnes. Il se prononce du bout des lèvres sans demander de grande conviction. Ce n'est pas comme *chocolat,* mot qui implique tout l'appareil phonétique, ou *gâteau,* qui force gutturales et dentales à un mariage heureux. Aimer semble pouvoir être émis par accident, pendant le sommeil, comme « vava » ou « beu ».

Gagné par un ennui profond et total, je m'éloigne du groupe d'enfants qui a décidé d'attendre l'issu du match devant la porte de l'appartement. Je n'ai jamais été un *fan* de sports et celui-là m'ennuie autant qu'une partie de cricket. En montant les marches qui mènent du jardin au *parking* de la maison, je remarque qu'une petite voiture bleue est stationnée là. Une visite ? Vient-on admirer le match de divorce ? Au volant de la voiture, nulle autre que la redoutée Garde Sirois me sourit.

Galvanisé par mes dialogues édifiant avec la Vérité, armé du don de la parole, je sais, cette fois, la mettre en fuite. C'est un peu comme quand le médecin vous demande de décrire une douleur à la tête. On sait qu'on ne l'a jamais éprouvée, mais elle fait mal au même endroit. On se sert donc de la première douleur comme étalon pour toutes celles qui se feront sentir dans la même région. C'est le même type de rapprochement désagréable qui me fait considérer l'étrangère de mes grands yeux.

– Bonjour.

La blonde sourit.

– Ça va ?

– Oui

Mes suspicions sont fondées. Elle a le même ton sec que la Garde. Je me dis qu'elle doit elle aussi œuvrer dans le domaine de la médecine et qu'elle doit savoir ce que c'est aimer. Je m'approche d'elle et lui dis : « Tu sais, mon père n'aime plus ma mère. » Je n'ai pas le temps de continuer ; son sourire crispé fond comme neige au soleil. Son regard m'évite comme si je lui avais lancé : « Si tu ne décampes pas dans les vingt prochaines secondes, je te coupe en morceaux. »

De quelques mouvements secs, elle active les manivelles de sa petite voiture japonaise et elle disparaît par la rue Saint-Louis sous les yeux écarquillés de Mme Roberge. Elle ne m'a pas laissé le temps de finir l'énoncé de ma question. Je comptais bien l'inviter à entrer pour observer le match de divorce, mais elle a pris peur, on dirait... Je retourne dans le jardin. Je remarque que la Vérité a observé toute la scène et qu'elle me faisait un clin d'œil complice. Mon père a gagné le match et sort justement de la maison une valise dans chaque main. Il marche jusqu'au *parking,* s'arrête, considère longtemps l'espace vide laissé par la blonde et rebrousse chemin.

Je n'aurai plus jamais la chance d'assister à d'autres matchs de divorce. Maman, mauvaise perdante de nature, refusera de jouer. Moi-même, je n'apprendrai jamais à jouer.

Curieusement, la Vérité ne m'apparaît plus jamais après cet incident. Sa présence ne sera plus jamais signalée nulle part. Elle ne me fera même pas la grâce d'un adieu. Je me rends rapidement compte qu'il m'est facile de l'oublier. Son absence de ma vie m'ôte le lourd fardeau de toujours devoir parler d'elle. C'est à ce moment que la Fiction, sa cousine maquillée et vêtue d'une robe du soir à paillettes fait son entrée sur la pellicule de mon existence, au grand soulagement de tous. Oui, je l'avoue, elle est plus présentable que l'acariâtre nageuse.

12

Juillet apporte avec ses chaleurs l'occasion idéale de procéder à l'opération « glucose 74 ». L'été des condamnés passe à la vitesse de l'éclair. Nous sentons approcher l'échéance du déménagement en nous imaginant qu'à la dernière minute, une force divine viendra annuler le voyage vers la mort. Maman et Papa vivent dans une insouciance qui me rend fou. Dans les ghettos de l'Europe de l'Est de la Seconde Guerre mondiale, des témoignages précieux sur l'existence de gens voués à la mort éclairent les sentiments qui m'habitent pendant ces dernières semaines. Il paraît que les Juifs confinés dans les limites des vieilles villes se comportaient comme si la vie leur serait épargnée. Or, des nouvelles leur parvenaient de l'extérieur, qui auraient abattu le moral du plus grand des optimistes. Les Allemands faisaient creuser des fosses à l'extérieur des villes. Ces dernières étaient destinées à devenir le réceptacle de leur tuerie. Dans ces ghettos, les gens connaissaient l'existence de ces fosses, puisqu'elles avaient été creusées par les leurs. Malgré ces signes gravés en lettres gothiques dans le ciel d'Ukraine, les gens continuaient leur vie quotidienne. Certaines tricotaient des écharpes pour l'hiver, d'autres donnaient des leçons de français à des enfants qui ne vivraient pas une autre semaine. On avait annoncé la fin du monde, mais la routine continuait de mener l'existence des gens. Mon départ ne se fera pas sans que je règle une fois pour toutes mes comptes avec les voleurs de sucre. Pour la réalisation de ce plan diabolique, il me faudra l'aide de tous mes alliés.

J'explique en détail le projet à Marie-Josée, qui me semble plus effrayée par les conséquences d'une défaite que par la gloire de la victoire totale. Elle accepte de m'aider en rechignant. Elle me doit bien ça. Il ne me faut, pour accomplir ma dernière mission en ces contrées, que deux ou trois boîtes de sirop d'érable. Impossible de les dénicher chez nous ; le produit a été depuis longtemps banni. Adrien, cependant, en a des réserves, dans ses armoires, à ne plus savoir qu'en faire. Il s'agit de les lui prendre. S'il connaissait mon but ultime, il me les donnerait, mais mieux vaut ne pas le compromettre dans cette histoire qui marquera pour toujours le destin de l'humanité. Bien que l'on m'ait interdit les visites chez mon fabricant de cerfs-volants, je profite de l'absence de mes parents pour sonner à sa porte. Marie-Josée a reçu des directives claires : dès le signal, elle doit s'engouffrer dans la cuisine, se saisir de trois boîtes de sirop et ressortir au plus vite pour les cacher sous le garage. Pénétrer dans l'antre du chauve s'avère très difficile.

– Tu sais très bien que tes parents ne veulent plus que tu viennes ici.

– Oui, mais tu sais que l'on déménage dans un mois et que je n'ai pas encore vu le cerf-volant de la Vérité tout à fait terminé.

– Et si tu te fais prendre ici ? On est dans un beau pétrin.

– Ça ne prendra qu'une minute, mes parents sont partis... On descend au sous-sol et l'on remonte, c'est aussi simple que ça !

Il soupire, hésite, puis me laisse entrer sans verrouiller la porte, comme je l'espérais. Ma sœur épie nos déplacements de la fenêtre. Dès que nous sommes descendus à la cave, je l'entends entrer à pas feutrés pour accomplir son office. Je passe cinq bonnes minutes avec le chauve à lui poser mille questions insignifiantes pour donner la chance à mon acolyte d'accomplir son crime. Quand je juge qu'elle a eu amplement de temps pour terminer sa mission, j'abandonne mon pauvre chauve, qui commence à peine à devenir intéressant.

Marie-Josée est cachée dans notre chambre, haletante, les yeux sortis de leurs orbites.

– C'était lourd !

– Prépare-toi à pire pour cette nuit. Il faudra qu'on les transporte jusqu'à l'hôpital.

– Mais pour quoi faire ?

– Tu verras. Je ne peux pas t'en dire trop.

Ce soir-là, je ne ferme pas l'œil. Dehors, la nuit chaude de juillet a plongé tous les habitants du plateau dans le sommeil. Il ne me reste qu'à espérer que le reste de mon plan se déroule sans anicroche. Ma sœur ne se laisse pas tirer facilement du lit. Il n'y a rien de pire qu'une enfant qui dort. Je dois la pincer au sang pour qu'elle ouvre les yeux.

– C'est l'heure.

– Tu délires !

– Allez, par la fenêtre !

Je traîne comme une bombe à retardement les trois boîtes de sirop dans un sac à dos emprunté aux enfants Roberge. Le réveil de notre chambre marque une heure. La pierre angulaire de mon plan manque encore. En traînant l'endormie par la main, je me mets à espérer que tout marchera comme je l'ai prévu. En descendant la rue Rodrigue, je le vois. Il est au rendez-vous, le motard qui m'a tiré de la poubelle et que j'ai menacé de dénonciation à la police officielle s'il n'obéissait pas à mes ordres. Car entre-temps, je me suis bien rendu compte que les motards craignent comme la peste les visites de la vraie police. S'il fallait que Solange témoigne de nos balades à motos... Le midi même, je ne lui ai pas donné le choix: « Sois là à une heure quinze avec ta moto. » Et il est là. Sa mission est bien simple. Il doit nous emmener à l'hôpital où le reste de mon plan diabolique s'achèvera. Le motard s'exécute et nous filons en cinq minutes vers le lieu maudit. Le reste relève de James Bond.

Nous sommes donc au beau milieu du stationnement de l'hôpital désert, dont l'obscurité nous glace de terreur.

– Et l'on fait quoi maintenant pour entrer ?

– Fais-moi confiance.

Je n'ai aucune idée du chemin à suivre. Nous contournons la porte principale pour nous retrouver derrière l'immense bâtiment. Là, une porte noire laisse filtrer des rayons de lumière. De l'intérieur, des voix et des bruits de cuisine brisent le silence épais de la vallée. Soudain, la porte s'ouvre toute grande pour laisser passer une énorme dame tenant dans chaque main un sac vert. Elle laisse la porte ouverte et disparaît dans la noirceur vers d'énormes poubelles.

– On y va !

Nous nous retrouvons dans une immense cuisine déserte. C'est donc ici que se concoctent les brouets infâmes du Docteur. Les pas de la grosse dame se rapprochent. Cachés derrière un immense comptoir, nous la voyons éteindre toutes les lumières, mettre son manteau et quitter les lieux. Dans la pénombre éclairée par l'acier inoxydable des immenses frigos, la cuisine de l'enfer m'appartient.

– Ouvre une boîte de sirop, vite !

Ma sœur s'exécute. Dans chaque frigo se trouve une immense marmite à demi remplie de différentes purées de légumes. Chacune dégage une odeur nauséabonde de toilettes. Dans celle qui empeste le plus, je vide une boîte de sirop au complet et, avec une cuillère que Marie-Josée a dénichée, je recompose la mixture. Jugeant que nous avons fait notre possible dans la cuisine, nous sortons à pas de loup dans un corridor désert, bordé de portes fermées et terminé par un ascenseur.

– On va se faire prendre ! Retournons chez nous ! J'ai peur !

– Impossible, la porte de la cuisine s'est refermée derrière nous.

•

Il faut agir. Marie-Josée fait venir l'ascenseur. Le dieu du sucre nous l'amène vide. J'appuie sur « 1 ». Nous émergeons dans un corridor à peine éclairé où l'on entend jaillir de quelques portes des « bips ! » et des plaintes de quelque patient en crise de manque de sucre. Lors de mon séjour dans le millième cercle de l'enfer, j'ai remarqué que les visites des gardes de nuit sont rares et qu'à moins qu'un patient ne s'éveille en douleurs, nous ne risquons pas d'être pris. Dans l'hôpital règne un silence de mort que seul le bruit sec d'un ouvre-boîte vient briser. Marie-Josée ne comprend toujours rien et tremble comme une feuille parce qu'elle a peur d'être surprise en ces lieux de souffrances par un Docteur ou une Garde.

– Tu vois les gens dans les salles ?

– Oui.

– Bon, on a très peu de temps. Tu grimpes sur chaque table en silence. Ne t'en fais pas, les patients sont drogués, et tu verses un peu de sirop dans le sac d'eau qui est rattaché à leur bras par un tube.

– Pour quoi faire ?

– Les questions, tu les poseras plus tard, il faut être sortis d'ici avant une heure. Dépêche-toi.

C'est ainsi que chaque patient endormi de l'hôpital d'Amqui reçoit cette nuit-là, dans son soluté, une once liquide de sirop blond. Nous exécutons notre plan sans être dérangés par les Gardes, que nous avons appris à éviter. Au premier, l'aile gériatrique nous permet de développer un pas feutré pour ne pas sortir les vieux de leur sommeil léger. En oncologie, les malades nous confondent avec les hallucinations causées par les traitements de chimiothérapie. Dans la pouponnière, les lèvres de chaque nourrisson sont scellées de sucre. Au plus haut de l'hôpital, nous tombons sur des malades qui n'ont pas de soluté et qui font les cent pas en se parlant à eux-mêmes. Ils inspireraient à quiconque la panique, mais en les observant bien, on devine autour d'eux une aura hermétique qui nous empêche de pénétrer dans leur monde. Leurs sens nous sont inaccessibles. Ne faisant aucun cas de nous, ils avalent dans leur délire les dernières onces de sirop. Nous devinons dans leur regard creux que notre image furtive ne survivra pas à l'aube ; nous n'avons rien à craindre de leur mémoire à jamais morte. De toute façon, personne n'accorderait la moindre importance à leur galimatias incompréhensible.

Les hôpitaux sont ainsi faits qu'il est aisé pour un enfant de se dissimuler sous un lit, derrière une porte, dans un placard, etc. Après une heure de travail acharné, nous avons vidé toutes nos réserves de sirop. Les boîtes vides sont jetées dans une poubelle qui, grâce à la propreté maniaque des Docteurs, garantira la disparition des preuves au matin. J'ai bien étudié mon goulag. C'est en sortant par les escaliers de secours que le destin nous prend par les chevilles. On entend monter quelqu'un d'un pas preste. La terreur nous paralyse. Une ombre immense se dessine maintenant juste au-dessous du palier. Nous allons être pris. Pas un seul endroit pour nous cacher, pas la moindre poubelle dans laquelle disparaître. Nous fermons les yeux, convaincus qu'un Docteur ou Garde Sirois va nous découper en petits morceaux.

– Ah ! tiens donc ! Le fils du policier !

Je reconnais tout de suite sa voix. C'est mon ange Notre-Dame-de-l'Espérance qui monte vers les étages, portant une pile de draps propres.

– Mais qu'est-ce que vous faites ici à cette heure ?

Après la scène du camion de pompier, j'ai appris que la Vérité ne supporte pas d'être brandie devant tous.

– On s'est endormi en visitant Mme Loignon et on cherche la sortie.

– Et vos parents ? Vous n'êtes quand même pas venus ici seuls !

– Le policier m'attend dehors. Ceci n'est qu'un demi-mensonge, comme nous le constaterons moins de deux minutes plus tard.

–Vous direz à votre Papa que les visites se terminent à neuf heures !

– Oui, Madame...

En moins de temps qu'il ne faut pour dire « crise cardiaque », nous nous retrouvons dehors dans le stationnement.

– Et maintenant, on rentre comment ?

La question est de taille. Comment allons-nous en effet parcourir les kilomètres qui nous séparent de notre logis avant l'aube ? Là encore, le génie stratégique dont j'ai hérité de ma mère nous sauve: le motard nous attend dehors, comme je l'ai prescrit. Un policier parallèle, aurais-je dû expliquer à Notre-Dame-de-l'Espérance. Sans dire un mot, il nous aide à enfourcher sa monture et nous dépose à côté de la roulotte-aux-bonbons, sinistre sous la lumière de la lune. Nous sommes de retour dans nos lits en cinq minutes. Pendant notre sommeil, ma vengeance s'égoutte petit à petit dans les veines des patients du Docteur, qui ne comprendra jamais pourquoi Mme Viens s'est réveillée le matin avec un grand sourire, elle qui venait de perdre l'appendice, en réclamant une tartine de confiture. De son côté, M. Tremblay, homme sobre et mesuré, ajoute ce matin-là trois sucres dans son café. Mme Perrault, grise d'une longue nuit de sommeil après un accouchement douloureux, se réveille d'un coup de martinet de la Vérité. Dans la prison infâme du Docteur, une série de dépendances jeunes et vieilles naissent. Ma sœur et moi avons surtout pris garde de ne manquer aucun des enfants endormis dans l'aile qui leur est réservée. Des mères inquiètes retrouvent leurs rejetons d'habitude si calmes le matin, grinçant des dents et exigeant un caramel mou. L'opération « glucose 74 » s'avère un succès monstre et constitue l'épicentre du rayonnement du sucre dans la ville, la province et même au-delà des frontières. À ce moment-là, M. Nixon dort encore d'un sommeil de plomb aux

États-Unis et sent un tressaillement, quelque chose comme un picotement au niveau du foie. Il se retourne pour continuer à dormir.

•

Quelques jours plus tard, ma mère est surprise d'apprendre par les voisines que les marchés d'Amqui sont pris d'assaut par des familles entières de la région. On vide les tablettes de biscuits, on envahit les pâtisseries, on s'arrache les glaces, macarons, viennoiseries, cassonades et autres glucoses dorénavant devenus nécessaires à la survie mentale de la population. Personne ne peut s'expliquer ce curieux phénomène. Ceux qui ont séjourné à l'hôpital pendant la nuit de notre action imposent à leurs familles des régimes à haute teneur en sucres de toutes sortes. Fait encore plus étrange, les patients de l'hôpital se délectent de purée de navet et en réclament des portions supplémentaires à grands cris. Solange doit regarnir ses provisions de bonbons tant la demande est grande. Mais la victoire la plus douce, le plat qui couronne ce stratagème génial est la vue de la voisine Loignon, en train de remplacer ses légumes par des fleurs. Les rangs de carottes, de navets, de patates et de choux deviennent de charmantes rocailles de pétunias, de roses et de glaïeuls. Nous l'épions à travers la haie. Elle chante en bêchant un dernier coup dans un ignoble oignon, en tenant à la main un bout de chocolat dans lequel elle mordille de temps en temps pour se reposer. À partir de ce jour, il ne se trouvera nulle âme pour me refuser la moindre sucrerie.

13

Les mois de chaudes passions ont aussi un effet sur certains habitants du plateau. Comme je l'apprendrai beaucoup plus tard, les grandes chaleurs ne sont pas communes dans ces régions éloignées du Canada. Amqui est une ville logée au cœur de la péninsule gaspésienne, région balayée par les vents de tous azimuts. Près des rivages, on s'étonne quand la bise ne souffle pas. Tant et si bien qu'on décidera d'y installer un parc d'éoliennes dans quelques années. Il n'arrive presque jamais, dans cet Est perdu, de vivre la canicule propre à d'autres coins du Canada, et chaque fois que le mercure dépasse les 25 degrés, la population affolée marque le calendrier d'un *x* pour souligner l'événement. Amqui vit une réalité climatique bien différente. Protégée des vents marins par les collines des Appalaches, la petite ville devient un four en juillet. La température excessive a des séquelles sur chacun. Il faut rester immobile, chercher l'ombre et éviter tout exercice trop violent. Certains jours, la chaleur suffocante fait perdre la tête à des êtres déjà fragiles. C'est ce qui arrivera à Nelly Labelle, qui sera la victime d'un coup de chaleur navrant.

•

Marie-Josée a repris contact avec Nelly qui, depuis mon anniversaire, a arrêté de nous emmerder. On la voit se gaver de tous les sucres et l'on prétend même l'avoir vue se délecter de sucre d'érable chez le chauve, qu'elle a conservé comme fournisseur. Mais un jour de grandes chaleurs, les esprits maléfiques qui dormaient en elle se réveillent et crient vengeance pour les sévices qu'elle a subis de nos mains dans le passé. Possédée par la haine et la rancœur, elle a poussé ma sœur du haut de l'escalier de fer qui mène à sa demeure. Les Roberge et moi sommes témoins du vol plané de Marie-Josée, qui atterrit sur le sol dans un bruit mat. Un sourire malade décore le visage de Nelly. Ces efforts sont vains : Marie-Josée n'a pas une égratignure. D'accord, elle perd le souffle de surprise, et l'on doit la ramasser pour l'étendre sur le canapé des Roberge ; mais elle revient à elle-même en deux minutes, au grand dam de Nelly, qui a cru se venger de l'attentat dont elle a été la victime l'automne dernier. Quelle déception sur son visage quand elle voit ma sœur se lever du sofa et marcher. « Des mages ! » doit-elle penser. Effectivement, elle a affaire à de la magie. Je la fais sortir de sa torpeur en lui mordant la main de toutes mes forces. Il faut la réveiller. On doit se prendre à trois pour m'arracher la mâchoire de sa chair tendre. Nelly disparaît vers son logis, et l'on n'entend plus parler d'elle pendant au moins deux jours. Il paraît que sa mère s'est emportée, qu'elle a mené sa fille vers Maman en lui montrant la trace nette que mes dents avaient laissée.

– Votre fils a mordu ma fille !

– Comment pouvez-vous être sûre qu'elle n'a pas commencé ?

– Cela n'est pas une excuse.

– Il ne le refera plus.

Ce que ma mère voulait dire était : « Il n'aura plus à le faire. » En effet, la terreur dans le regard de Nelly confirme qu'elle a maintenant compris que jamais elle nous atteindrait, que ses efforts de destruction sont voués à l'échec.

Je comprends que nous avons définitivement gagné la guerre du sucre. Tous les voisins sans exception ont compris les vertus de la glorieuse substance et le rayonnement de notre victoire anéantira les plans du Docteur et de ses Gardes. Vainqueur silencieux de cette guerre qui, en fait, ne durera pas plus de trois ans, je garderai jusqu'à aujourd'hui mes confidences personnelles sur la chute des voleurs de sucre. Comme aujourd'hui marque le trentième anniversaire de cette nuit de pleine lune où ma sœur et moi pourfendîmes les plans de l'obscur Docteur, je considère qu'il est temps que la Vérité sorte au grand jour. Où es-tu, ma magnifique noyée ?

14

Le matin du 9 août 1974, mes parents ont fait l'impensable : ils se sont levés avant nous.

– Qu'est-ce que vous faites debout ?

J'avais l'habitude de profiter de quelques moments seuls avec ma sœur dans la cuisine avant leur lever.

– Aujourd'hui, on déménage.

Nous restons estomaqués. Le Jugement dernier est donc là. De grands gaillards vident la maison de son contenu et remplissent un camion. Mes parents les regardent faire.

Plus tard, des années plus tard, je lirai avec horreur *Anne Frank, Au nom de tous les miens, Holocauste* et autres récits, remplis de tristesse, de la déportation du peuple juif vers les camps. J'éprouverai pendant ma lecture un sentiment de déjà-vu. Je n'arriverai jamais à mettre le doigt sur le sentiment de confiance qui permet aux êtres de laisser de purs étrangers les dépouiller de toutes leurs possessions.

– Mais qu'est-ce qu'ils font ?

– Ils nous aident à déménager. On amène tous les meubles à Rivière-du-Loup.

Le loup ne se contentera pas de notre tendre chair, il lui faut en plus sofa, chaises et fourchettes à dessert. Minou a dû sentir ce grand dérangement et se réfugier ailleurs. Brave chat. Il paraît qu'à la rupture des digues de la mer du Nord, le 1er février 1953, des canaris avaient laissé présager l'inondation meurtrière sur la Zélande. Ils se sont affolés, se percutant la tête sur les barreaux de leurs cages, tentant d'avertir leurs propriétaires du malheur imminent. Notre Minou, en désertant comme il l'a fait, a suivi son instinct. Sa disparition mystérieuse vient corroborer mes plus grandes appréhensions. Le malin félin a senti de loin l'haleine du loup qui me dévorera. Mais comme les Hollandais insouciants, mes parents n'ont pas su lire ce signe d'avertissement du royaume animal.

Le camion est rempli, la maison est vide. Seule la télévision trône encore dans le salon parce que ma mère l'a déclarée trop fragile pour être confiée aux déménageurs. C'est seul dans cette pièce que je vis l'Épiphanie. J'ai appris à faire apparaître les images en tirant sur le bouton vert. Je veux le faire une dernière fois, étant certain que la boîte à images restera derrière avec tout ce qui a compté pour moi jusque-là. Après un bruit sourd et une période de réchauffement, le visage blafard du président Nixon se dessine à l'écran. Son teint est encore plus pâle qu'à sa première apparition ; la laideur le possède tout entier et une main bleutée, ruisselante et glaciale, le tient par le cou. Il me fixe longuement et m'apprend, en ce matin de déménagement, le visage de la défaite. J'écoute avec attention la traduction française des paroles de cette loque humaine. Je sais à cet instant que je peux mourir. Je sors de la maison et je m'installe, à la surprise générale, tout seul sur la banquette arrière de la Ford verte, attendant d'être livré vif au loup.

•

Les gaillards du déménagement y mettent la journée. Notre convoi sacrificiel va donc voyager de nuit vers la tanière de la bête. Mme Roberge et ses marmots nous font des adieux comme dans un film d'Oliver Stone.

– Vous reviendrez nous voir !

– Oui, c'est promis.

– Adieu, mes petits choux.

Dieu seul sait pourquoi la seule chose que je trouve à dire en ce moment est : « Nixon est déjà parti, il faudra partir en Ford. »

Regards vides.

Même la petite Labelle vient nous embrasser. *Morituri te salutant.* Je ne peux même pas la regarder dans les yeux tant je veux pleurer de rage. La Ford s'engage dans la rue Saint-Louis, tourne à gauche sur la rue Rodrigue. Au bas de la pente, Solange nous envoie la main. Debout sur la banquette arrière, je fixe pour une dernière fois le plateau de mon bonheur. Ce que j'y vois m'apparaît encore aujourd'hui en rêve, comme une vision. Haut dans le ciel, le vent soutient un cerf-volant représentant la Vérité. Adrien a voulu me dire au revoir, et c'est l'ingénieux moyen qu'il a trouvé. La voiture s'engage dans le boulevard Saint-Benoît. Longtemps je regarderai le cerf-volant rapetisser pour disparaître derrière l'érable. Nous passons *Boubou.* Puis, je me rends compte que pendant quatre ans, j'ai été victime d'une illusion d'optique. La ville se termine tout de suite après le restaurant. Je crois d'abord que nous traversons un parc immense, mais non, nous avons quitté Amqui en moins de cinq minutes. Comment cela est-il possible ? La ville semblait infinie de notre plateau. Pendant tout ce temps, nous avons cru habiter une mégacité et elle se révèle maintenant dans toute son insignifiance. Maintenant, il n'y a plus que prés, forêts et vaches paisibles le long de la route. Nous nous engageons dans une pente abrupte et longue. Je peux voir qu'Amqui est en fait minuscule ; elle tient dans ma petite main. Elle a l'air d'un amas de petits sucres dans la vallée de la Matapédia. Au bas de la pente, une petite voiture bleue s'engage, elle aussi, dans la pente qui mène vers la rivière du Loup.

Je m'endors, épuisé de chagrin.

Et au matin, le loup ne me mangera pas, n'en déplaise à M. Daudet et à toutes les chèvres de M. Séguin.

Achevé d'imprimer sur les presses
de Marquis-Gagné
à Louiseville, Québec, Canada.
Quatrième trimestre 2013